FABLES ET LÉGENDES DU JAPON

Claudius Ferrand

Ourashima Taro et la Déesse de l'Océan

Il y avait autrefois, au pays de Tango, une bourgade du nom de Mizunoé. Dans cette bourgade vivait un pêcheur, qui s'appelait Ourashima Taro. C'était un homme vertueux, au cœur sensible et bon qui, de sa vie, n'avait jamais fait ni souhaité de mal à personne.

Taro revenait un soir de la pêche. La prise ayant été abondante, il rentrait satisfait et joyeux. Sur le rivage, il aperçoit une bande de petits garçons, qui semblaient prendre un malin plaisir à tourmenter une petite tortue, trouvée sur le sable.

Taro n'aimait pas qu'on fît souffrir les bêtes. Il eut pitié de la tortue. S'approchant des enfants, et s'efforçant de donner à sa voix un ton impérieux:

– Quel mal vous a donc fait, dit-il, cette innocente créature, pour la tourmenter de la sorte? Ignorez-vous que les dieux punissent les enfants qui maltraitent les animaux?

Ourashima s'approcha des enfants.

– Mêlez-vous donc de ce qui vous regarde, répond insolemment le plus âgé de la troupe. Cette tortue n'appartient à personne. Nous sommes libres de la tuer si cela nous fait plaisir. Vous n'avez rien à y voir.

Le pêcheur comprend qu'aucun raisonnement n'aura de prise sur ces cœurs sans pitié. Il change de tactique et, d'un ton plus radouci:

– Allons, ne vous fâchez pas ainsi, mes enfants! je n'avais pas l'intention de vous gronder. Je voulais vous proposer un marché. Voulez-vous me vendre cette tortue? Je vous en donne vingt sous. Cela vous va-t-il?

Vingt sous! C'était une fortune pour ces marmots. Ils acceptent sans hésiter; Taro leur donne donc deux petites pièces blanches; aussitôt ils courent au village acheter des gâteaux. Resté seul avec la tortue, qu'il a conscience d'avoir arrachée à une mort certaine, le brave pêcheur la soulève dans les mains, et lui dit, en la caressant:

– Pauvre petit animal! Le proverbe te donne dix mille ans d'existence, tandis qu'il n'en accorde que mille à la cigogne. Que serais-tu devenu sans moi? Je crois bien que tes dix mille ans auraient été considérablement écourtés! Car ils allaient te tuer, ces vauriens!… Allons, je vais te rendre la liberté. Mais à l'avenir, sois prudente, et surtout ne retombe jamais plus dans les mains des enfants.

Cela dit, il dépose la tortue sur le sable, et la laisse aller. Puis, jouissant de la pleine satisfaction que procure toujours un bon acte accompli, il retourne en sifflant à sa demeure. Ce soir-là, la soupe lui parut meilleure, et son sommeil fut plus léger…

Le lendemain matin, Taro, s'étant levé de bonne heure, part pour la pêche, selon son habitude. Le voilà qui gagne le large, monté sur sa petite barque. Il va jeter son filet. Tout à coup, il perçoit dans l'eau un clapotement étrange.

– Monsieur Ourashima! fait une voix derrière lui.

Le pêcheur se demande qui peut bien, à cette heure matinale, l'appeler par son nom. Il regarde autour de lui, mais il ne voit personne. Croyant s'être trompé, il se dispose de nouveau à commencer sa pêche.

– Monsieur Ourashima! répète la même voix.

Taro se retourne une seconde fois. Quelle n'est pas sa surprise, d'apercevoir, tout auprès de la barque, la petite tortue, la tortue dont, la veille, il a sauvé la vie!

– Oh! C'est donc toi qui m'as appelé?

– Oui, c'est moi, Monsieur Ourashima. Je suis venue vous dire bonjour, et vous remercier du service que vous m'avez rendu hier soir.

– Voilà qui est bien aimable de ta part. Voyons! que pourrais-je t'offrir? Si tu fumais, je te passerais volontiers ma pipe. Mais tu ne dois pas fumer, toi!

– Non, je ne fume pas, Monsieur Ourashima. Mais, si ce n'est pas trop d'indiscrétion, j'accepterais avec plaisir une tasse de saké.

– Du saké? Tu bois donc du saké! C'est bien heureux! J'en ai justement ici une petite bouteille. Il n'est pas de première qualité, mais il n'est pas mauvais tout de même. Voici!

Et le pêcheur, emplissant une tasse, la passe à la tortue, qui l'avale d'un trait. Puis, la conversation, un instant interrompue, continue de la sorte:

– En veux-tu une seconde tasse?

– Non, merci, Monsieur Ourashima. Une seule me suffit… A propos, avez-vous déjà visité le palais d'Otohimé, la déesse de l'Océan?

– Non, pas encore.

– J'ai justement l'intention de vous y conduire aujourd'hui.

– Comment? Tu veux m'y conduire? Mais il doit être bien loin, ce palais! D'abord, je ne sais pas nager comme toi. Comment veux-tu que je te suive?

– Oh! il n'est pas nécessaire de savoir bien nager, Monsieur Ourashima. Vous n'aurez même pas à nager du tout. Vous allez monter sur mon dos; je vous porterai moi-même.

– Monter sur ton dos!… Mais, tu n'y penses pas, ma petite tortue. Quand bien même tu serais dix fois plus grosse, il serait impossible à un homme comme moi de monter sur ton dos, et de s'y tenir sans danger!

– Ah! Monsieur Ourashima, vous trouvez que je suis trop petite? C'est bien… Attendez une seconde. Vous allez voir.

Et voilà que la petite tortue se met à grossir… à grossir… Elle devient aussi grosse que la barque du pêcheur. Celui-ci, frappé de ce prodige, n'hésite plus. Il monte sur le dos de l'animal, s'y installe à son aise. Et la tortue l'emporte vers le palais d'Otohimé, la déesse de l'Océan.

Au bout de quelques heures, Taro aperçoit dans le lointain un immense monument:

– Quel est ce monument? demande-t-il à la tortue.

– C'est le portail du palais, répond-elle.

Et, à mesure qu'ils approchent, le portail semble grandir, et se teinter de couleurs brillantes.

Ils arrivent enfin. La tortue dépose son cavalier sur du sable, dont chaque grain est une perle. Le pêcheur peut voir alors que le portail est en or massif, incrusté de pierreries. Deux énormes dragons en gardent l'entrée. Ils ont un corps de cheval, une tête et des griffes de lion, des ailes d'aigle et une queue de serpent. Leur aspect est terrible; néanmoins, c'est d'un regard plein de douceur qu'ils fixent le nouvel arrivé.

La tortue seule avait pénétré sous le porche. Elle en sortit bientôt, accompagnée d'une multitude de poissons. Il y en avait de toutes les grandeurs et de toutes les formes. Chacune des espèces que renferme l'Océan était représentée. Ils portaient tous la livrée de la déesse, couleur d'azur et galons d'argent. Ils s'avancèrent au-devant du pêcheur et le saluèrent jusqu'à terre, avec toutes les marques de la sympathie et du respect.

Le brave Taro ne comprenait rien à toutes ces choses; mais, sachant très bien qu'on ne lui voulait aucun mal, il se laissa faire. On le dépouilla de son costume de pêche, et on le revêtit d'une magnifique robe de soie. On lui attacha aux pieds des pantoufles de velours; puis un page charmant, le prenant par la main, l'introduisit dans le palais.

S'appuyant sur une rampe d'ivoire, il monte les sept degrés d'un escalier de marbre, et arrive devant la porte en bois d'acajou, sur laquelle scintillent des émeraudes. Elle s'ouvre d'elle-même et Taro pénètre dans l'appartement de la déesse. C'est une salle immense, dont le plafond en corail est soutenu par vingt colonnes de cristal. De nombreuses lampes en vermeil y donnent une douce et brillante lumière. Les parois sont en marbre parsemé de rubis et de pierreries diverses.

Au milieu de toutes ces merveilles, assise sur un trône de diamant, ornée de ses plus riches parures, et environnée de toute sa cour, se tient Otohimé, la déesse de l'Océan. Elle est extraordinairement belle, plus belle que l'aurore à son lever. Lorsque Taro la vit, elle le contemplait avec son plus gracieux sourire. Il voulut se prosterner. La déesse ne lui en laissa pas le temps. Se levant de son trône, elle s'avança vers lui, majestueuse et aimable, et lui prenant affectueusement les mains:

– Soyez le bienvenu! lui dit-elle. J'ai appris que, hier soir, vous aviez sauvé la vie à l'un des sujets les plus vénérés de mon empire. J'ai voulu vous en exprimer de vive voix ma sincère reconnaissance, et voilà la raison pour laquelle je vous ai fait venir ici.

Taro ne savait que répondre. Il se tut. Alors, sur un signe de la déesse, on le fit asseoir sur un coussin en soie, cousue de fil d'or. On lui apporta une petite table en ivoire, sur laquelle étaient posés, dans des plateaux de vermeil, toutes sortes de mets appétissants. Taro fit un repas, comme il n'en avait jamais fait depuis qu'il était au monde. Quand il eut fini de manger, la déesse le conduisit voir les diverses parties de son palais.

Taro fit un repas comme il n'en avait jamais fait depuis qu'il était au monde.

Le pêcheur marchait de surprise en surprise, d'éblouissement en éblouissement. Mais ce qui le frappa le plus, et mit le comble à son admiration, ce fut le jardin. Il y avait là quatre parterres immenses; chacun représentait l'une des quatre saisons de l'année.

A l'est, c'était le parterre du printemps: d'innombrables pruniers et cerisiers en fleurs s'élevaient au-dessus d'un verdoyant gazon; de nombreux rossignols y modulaient leurs délicieuses romances; des alouettes y faisaient leur nid.

Au sud s'étendait le parterre de l'été: là, des pommiers et des poiriers, dont les branches pliaient sous le poids de leurs fruits. Des cigales y remplissaient l'air de leurs cris assourdissants et monotones. Il y régnait une grande chaleur, tempérée par un doux zéphyr.

L'automne était représenté par le parterre de l'ouest. Le sol y était couvert de feuilles jaunissantes et de bouquets de chrysanthèmes. Enfin, le parterre de l'hiver était au nord: c'était un immense tapis de neige, entourant un étang de glace…

Taro passa sept jours dans ce palais enchanteur. Fasciné par toutes les merveilles qui s'offraient à ses regards, charmé de la bonté que lui témoignait la déesse, et du bien-être qu'il éprouvait auprès d'elle, il avait oublié son village; il ne songeait plus à son vieux père, à sa femme, à ses enfants, à sa barque, à ses filets.

Un jour pourtant il s'en souvint, et la tristesse le prit.

– Que doit penser mon père, se dit-il, d'une si longue absence? Combien ma femme et mes enfants doivent être inquiets, et attendre mon retour! Ils me croient peut-être mort, englouti au fond de l'Océan! Et ma barque, qu'est-elle devenue? Et mes filets?…

Alors, Taro résolut de partir. Il en parla à la déesse. Celle-ci essaya bien de le retenir encore, mais toutes ses instances demeurèrent infructueuses. Ce voyant, la belle Otohimé le prit à part dans sa chambre secrète et, tirant du fond d'un coffre une petite boîte en laque, elle la lui donna, en disant:

– Puisqu'à tout prix vous voulez partir, Monsieur Ourashima, je ne vous retiens plus. Tenez! Emportez cette boîte, comme souvenir de moi et de votre séjour ici. Mais promettez-moi que, quoiqu'il arrive, vous ne l'ouvrirez jamais. Monsieur, retenez bien mes paroles: le jour où, cédant à une curiosité coupable, vous ouvrirez cette boîte, vous êtes un homme mort.

Taro accepta le présent avec beaucoup de reconnaissance. Il promit que jamais il n'ouvrirait la boîte, quoiqu'il puisse arriver. Puis la déesse l'embrassa sur le front, elle l'accompagna jusqu'au seuil de sa porte, et ils se séparèrent. Le pêcheur remonta sur le dos de la tortue, et celle-ci le ramena au rivage…

Taro est de retour. Mais, comme tout a changé pendant son absence! Les arbres qui se trouvent à l'entrée du bourg ne sont plus ceux qu'il était habitué à y voir. Le village s'est agrandi; il y a des maisons nouvelles, des maisons comme il n'en a jamais vu de sa vie. Quel n'est pas son étonnement de ne plus retrouver aucune de ses connaissances! Tous les visages qu'il rencontre lui sont entièrement inconnus!

Ne comprenant plus rien à cette soudaine métamorphose des hommes et des choses, Taro ne sait que penser ni que croire. Il lui tarde de retrouver son père, sa femme et ses enfants, pour apprendre de leur bouche le pourquoi de ce qui l'étonne. Il se dirige vers sa demeure. Là, sa surprise redouble. C'est bien cette maison qu'il a quittée, il y a sept jours. Mais elle tombe en ruines. Il s'approche et jette un coup d'œil à l'intérieur. Il n'y voit aucun des objets qui lui étaient familiers. Il n'y retrouve ni son père, ni sa femme, ni ses enfants.

Sur la natte, un vieillard est assis, les bras appuyés sur le bord du brasero, mais ce vieillard n'est pas son père! Taro va défaillir sous le poids d'une émotion trop forte. Il se contient pourtant encore.

– Bon vieillard, demande-t-il d'une voix étouffée, il y a sept jours que j'ai quitté ce village. Tout y a changé depuis. Cette maison est à moi, et je vous y trouve, vous, un inconnu. Où sont donc mon vieux père, ma femme et mes enfants, que j'ai laissés ici?

– Jeune homme, répond le vieillard, qui croit avoir à faire à un fou, je ne sais ce que vous voulez dire. Qui êtes-vous donc? Quel est votre nom?

– Je suis Ourashima Taro, le pêcheur.

– Ourashima Taro! s'écrie le vieillard au comble de la surprise, mais alors, vous êtes... un fantôme... un revenant... une ombre!... J'ai souvent, en effet, entendu parler d'un certain Ourashima Taro. Mais, voilà bien longtemps qu'il n'est plus de ce monde. Il y a sept cents ans qu'Ourashima Taro est mort!

– Sept cents ans! s'écrie le pêcheur.

Aussitôt il pâlit et chancelle. Ces dernières paroles du vieillard sont pour lui comme un trait de lumière. Il a compris! Il a compris qu'il a passé sept cents ans dans le palais de la déesse Otohimé, et que ces sept cents ans lui ont semblé sept jours...

Taro tomba mort sur la plage.

Une profonde tristesse envahit son âme. Il quitte ce village inhospitalier, qui n'est plus le sien, et où il n'a personne. Tout pensif, il se rend à la grève. Instinctivement, ses regards cherchent à apercevoir la tortue: car il voudrait bien maintenant retourner au palais… Mais la tortue a disparu, probablement pour toujours…

Taro s'assied sur le sable, et verse des larmes brûlantes. Tout à coup, ses yeux se portent sur la boîte, la boîte mystérieuse qu'Otohimé lui a donnée au départ, et à laquelle, dans son trouble, il n'avait plus songé.

– Que contient cette boîte?… La déesse m'a dit, en me la remettant: le jour où, par une curiosité coupable, vous ouvrirez cette boîte, vous êtes un homme mort… Une déesse ne ment point… et pourtant, qui sait?… Peut-être est-ce pour m'éprouver qu'elle m'a dit cela!… Peut-être cette boîte contient-elle mon bonheur!… Et puis, après tout, que m'importe la mort, à cette heure?… Ne suis-je pas seul au monde, sans parents, sans amis, sans connaissances, sans fortune?… Oui, mieux vaut cent fois la mort, qu'une existence aussi malheureuse!…

Ainsi pense Taro. Alors, d'un mouvement nerveux, il entr'ouvre la boîte. Il en sort un nuage épais, qui l'enveloppe des pieds à la tête. Soudain, ses cheveux deviennent blancs comme la neige, son front se ride, ses membres se dessèchent et il tombe mort sur la plage.

Le lendemain, des pêcheurs découvrirent sur la grève le corps d'un homme qui avait vécu sept cents ans…

La petite Voleuse

Mademoiselle Aki était une jeune fille de dix-sept ans. Ses parents l'avaient gâtée. Comme toutes les jeunes filles qui sont gâtées par leurs parents, elle était vaniteuse, capricieuse et méchante. Elle avait un très vilain défaut. Aki était voleuse. Elle volait partout, elle volait toujours, elle volait tant qu'elle pouvait. Et, chose assez curieuse, elle ne se faisait jamais prendre. La coquine était d'une habileté rare. Du reste, vous allez en juger.

Un beau matin, elle prend un panier, le remplit de poissons, et quitte la maison, sans rien dire. Ses parents lui donnant malheureusement toute liberté de suivre ses caprices, et ne s'informant jamais de ses allées et venues, la laissent sortir, sans même lui demander où elle va avec ce panier.

Aki longe un moment la rue, tourne à droite, traverse une longue place, enfile une vaste avenue et arrive devant une maison d'apparence bourgeoise. C'est là que demeure le très honorable et très distingué ministre Sanjo.

La jeune fille entre par la porte cochère, traverse la cour, comme une habituée de la maison, tourne sur la gauche et se dirige vers la cuisine. Mme Osandon, la digne et replète cuisinière de M. le ministre, est en train de préparer le déjeuner de son maître.

Le ministre faisait sa toilette.

– Bonjour, Madame Osandon, lui dit Aki en la saluant, je suis la fille de M. Takeyoshi, le marchand de soieries qui habite la rue de Hongo. Hier soir, votre maître a rendu à mon père un service important. Et mon père m'envoie le remercier en son nom, en attendant qu'il se présente lui-même. Il m'a chargé de remettre à M. le ministre ce panier de poissons. Quoique ce soit peu de chose, veuillez prier votre maître de l'accepter comme un faible témoignage de notre reconnaissance.

La brave cuisinière n'a aucun motif de mettre en doute la sincérité de cette jeune fille. Elle accepte le panier, va trouver le ministre qui faisait sa toilette, et lui répète les paroles d'Aki.

Le ministre, après avoir écouté, réfléchit un instant, puis il répond:

– Je ne connais personne du nom de Takeyoshi; j'ignore s'il y a un marchand de soieries de ce nom dans la rue de Hongo; je n'ai pas souvenance d'avoir rendu hier soir un service quelconque à qui que ce soit. La chose m'eût été difficile, vu que je ne suis pas sorti hier de toute la journée. Il y a là une erreur; cette jeune fille se trompe d'adresse; reporte-lui son panier.

Pendant que se tenait ce petit bout de conversation dans la chambre du ministre Mlle Aki, restée seule à la cuisine, avait jeté un coup d'œil sur les étagères; elle avait aperçu une petite tasse de valeur, et très délicatement, l'avait glissée dans les profondeurs de sa manche. Mais, cela étant en dehors du programme, et n'étant arrivé que par hasard, ne nous y arrêtons pas, et continuons.

Mme Osandon redescend donc à la cuisine, et rend le panier à la jeune fille, en lui rapportant les paroles de son maître.

– C'est curieux! répond Aki, en reprenant le panier… C'est pourtant bien ici!… Aurais-je mal entendu?… Je suis si sotte!… Je vais retourner à la maison, et demander de nouveau à mon père. Voudriez-vous être assez aimable pour me permettre de déposer mon panier ici? Je reviendrai dans tous les cas le prendre.

– Il n'y a pas d'inconvénient, Mademoiselle.

Aki dépose donc son panier dans un coin de la cuisine; puis, saluant profondément Mme Osandon, elle reprend le chemin par lequel elle est venue.

Vous vous demandez peut-être pourquoi la rusée jeune fille a laissé
là son panier? Pourquoi? Je vous le donne en mille. Inutile de vous
creuser la tête. Vous ne devinerez pas. Mais vous allez comprendre
tout à l'heure, et vous ne pourrez vous empêcher de penser: quelle
petite coquine!

D'abord, elle ne retourne pas chez elle, tout naturellement. La voilà
qui remonte l'avenue, enfile la rue de Sakanacho et s'arrête devant la
boutique d'un horloger.

– Pardon! dit-elle en entrant. Je viens de la part de Mme Sanjo, la
femme du ministre. Est-ce que vous avez de belles montres en or?

– Mais parfaitement, Mademoiselle. En désirez-vous de grandes ou
de petites?

– Voici. Ma maîtresse voudrait en voir quelques-unes de dimensions
différentes, pour pouvoir faire son choix. Elle est très fatiguée
aujourd'hui et ne peut quitter la chambre. Il lui faut cependant une
montre pour ce soir. Ne voudriez-vous pas en confier quelques-unes
à votre apprenti, et le prier de m'accompagner chez ma maîtresse?

– Je n'ai pas l'habitude de confier des montres à mon apprenti. Mais,
si vous n'y voyez pas d'inconvénient, je puis vous accompagner
moi-même.

– Ce sera encore mieux!

Aki reprit le panier qu'elle avait déposé à la cuisine.

L'horloger, lui non plus, n'a aucune raison de soupçonner la jeune fille. Il choisit douze belles montres, les introduit dans une boîte, enveloppe la boîte d'un beau foulard de soie, met son manteau et part avec Aki.

Ils arrivent chez M. le ministre, entrent par la porte cochère, et pénètrent dans la cour. Arrivés là, la petite rusée dit à son compagnon:

– Comme Madame est couchée, elle serait peut-être contrariée de vous recevoir chez elle. Passez-moi les montres; je vais les lui porter. Et attendez-moi ici, ce ne sera pas long.

L'horloger sans méfiance passe la boîte à Aki, et les montres vont rejoindre la tasse de tout à l'heure dans les profondeurs de sa manche…

La jeune fille se rend à la cuisine, où elle retrouve Mme Osandon:

– Excusez-moi, dit-elle en entrant, je me suis effectivement trompée. Ce n'est pas chez M. le ministre Sanjo que mon père m'envoyait, mais bien chez un certain M. Sonjo. Pardonnez-moi le dérangement que je vous ai occasionné tantôt.

– Il n'y a pas de quoi, Mademoiselle, répond la cuisinière; tout le monde peut se tromper.

Aki reprend donc le panier aux poissons qu'elle avait déposé à la cuisine, vous commencez à comprendre dans quel but. Elle salue la bonne, et revient vers la cour, où attendait l'horloger.

– Madame est en train d'examiner les montres, dit-elle; dès qu'elle aura fait son choix, elle doit vous faire appeler. Patientez encore quelques secondes, et veuillez m'excuser; il faut que j'aille porter ces poissons à une amie de Madame.

Là-dessus elle le quitte et sort de la cour.

L'horloger, qui la voit sortir, un panier de poissons au bras, alors qu'elle est entrée les mains vides, n'a pas un instant la pensée de douter qu'elle soit une domestique de Mme Sanjo. Il ne soupçonne pas, le brave homme que, dans la manche de cette fille qui vient de sortir, reposent insouciantes les douze montres en or, qu'il a apportées de chez lui!

Il attend un bon quart d'heure. Mais personne ne vient. On a l'air, dans la maison, de ne pas même songer à lui. Impatienté, il se rend à son tour à la cuisine.

L'horloger la vit sortir, un panier au bras.

– Eh bien! dit-il à la cuisinière, est-ce que Madame a terminé son choix?

– Quel choix?

– Mais… le choix des montres.

– Quelles montres?

– Les montres que je viens d'apporter et que j'ai confiées à la jeune fille, pour les faire voir à Madame.

– Quelle jeune fille?

– Celle qui vient de sortir avec un panier.

– Celle qui vient de sortir avec un panier?

– Oui.

– Mais, mon brave homme, cette jeune fille n'est pas plus employée à la maison, que moi je ne suis employée au palais de l'Empereur!

Et la cuisinière raconte alors à l'horloger pétrifié les antécédents de l'histoire, et pourquoi et comment cette jeune fille est sortie de la maison avec un panier. L'horloger raconte à son tour l'histoire des montres, et pourquoi et comment il se fait qu'il est là.

– Alors, mon pauvre homme, conclut la cuisinière, vous pouvez leur dire adieu à vos montres!

Le malheureux horloger, comprenant un peu tard qu'il a été filouté, s'arrache les cheveux de désespoir, jure par tous ses ancêtres que jamais plus de sa vie, il ne confiera de montres à personne.

Il s'en va de ce pas faire sa déclaration à la police. La police s'est mise à la recherche de la petite voleuse.

La retrouvera-t-elle? «Chi lo sà!»

La Vengeance du Lièvre

Il était une fois un vieux et une vieille. Le vieux se nommait Gombéiji, et la vieille Tora. C'étaient de bien braves gens. Ils vivaient dans une intimité parfaite, et savaient se contenter de peu. Toute leur fortune consistait en une misérable cabane, couverte de chaume, bâtie sur le flanc de la montagne, et en un petit champ de melons et d'aubergines, qu'ils cultivaient avec amour.

Or, à quelques pas de leur demeure, vivait aussi, dans un terrier profond, un blaireau d'un certain âge. Cet animal malfaisant passait toutes ses nuits à ravager tant qu'il pouvait le champ de ses voisins. Un jour Gombéiji, à bout de patience, finit par tendre un piège, dans lequel le blaireau se laissa prendre. Tout heureux d'avoir enfin capturé la méchante bête, le bon vieux la porte en sa cabane, lui ficelle solidement les pattes, et la suspend à un clou du plafond. Puis il dit à sa femme:

– Vieille, fais bien en sorte qu'il ne s'échappe point. Je vais au champ réparer les dégâts qu'il y a causés la nuit dernière. A mon retour, nous le mettrons à la marmite. Ce doit être très bon, la viande de blaireau!

Là-dessus, il prend ses instruments, et va au travail, confiant l'animal à la garde de Tora.

La position du blaireau n'était pas intéressante, et la perspective d'être mangé le soir ne lui souriait pas du tout. Il réfléchit longtemps au moyen de sortir d'une situation aussi peu agréable. Les blaireaux ont bien des ruses dans leur sac! Il choisit celle qui, vu les circonstances présentes, lui sembla la meilleure.

La bonne vieille est en train de piler du riz:

– Pauvre femme! lui dit-il d'une voix compatissante, je souffre de te voir travailler de la sorte, à ton âge. Cela doit te fatiguer beaucoup. Veux-tu me permettre de t'aider? Passe-moi le pilon. Je ferai la besogne à ta place; pendant ce temps, tu te reposeras.

– Que me chantes-tu là? répond la vieille en le regardant. Ah! oui, je vois bien ce que tu désires. Tu veux que je te détache. Puis, tu fileras, sans me dire au revoir. Pas de ça, mon ami! Que dirait mon mari, en rentrant, s'il ne te trouvait plus là? Non, non, reste où tu es, et laisse-moi tranquille.

Le blaireau ne se décourage pas de ce premier insuccès:

– Je comprends fort bien tes craintes, reprend-il. Tu crois que je veux m'échapper… On voit que tu ne me connais guère… Nous autres blaireaux, nous n'avons qu'une parole… Je suis pris; c'est malheureux pour moi; mais ce qui est fait, est fait… Je n'ai pas le moins du monde l'intention de me sauver… Je voulais seulement te rendre un service… Il te serait si facile de me lier de nouveau, et de me remettre à la même place, avant le retour de ton mari!… Il n'en aurait rien su du tout… Mais, puisque tu n'y consens pas, c'est bon. N'en parlons plus… Pile ton riz… Après tout, peu m'importe!

Tora n'était pas méchante, et ne soupçonnait point le mal chez les autres. Elle se dit qu'en définitive, cet animal pouvait être sincère, et que ce serait bien heureux, s'il consentait à piler le riz à sa place. Après quelques hésitations:

– Me promets-tu de ne pas te sauver, si je te détache? demande-t-elle.

– Foi de blaireau, je te le jure! répond le perfide animal.

La trop confiante femme détache le blaireau et lui passe le pilon. La bête le saisit et, avant même que la pauvre vieille ait eu le temps de pousser un cri, il lui en assène sur le crâne un coup d'une telle violence, qu'elle tombe raide morte sur le plancher de la cuisine.

Le blaireau ne perd pas de temps. Il prend un coutelas, découpe en morceaux le cadavre encore chaud de sa victime, empile ces morceaux dans la marmite qui lui était réservée à lui-même, et se met à la faire bouillir. Puis, il se métamorphose. Car chacun sait que le blaireau possède l'intéressante faculté de se métamorphoser quand il lui plaît.

Il prend donc l'apparence de la vieille Tora, se revêt de ses habits, s'assied sur la natte, et tout en attisant le feu, attend le retour du mari.

Gombéiji est bien loin de se douter de ce qui s'est passé pendant son absence. Il quitte son champ à la tombée de la nuit et revient à la cabane, se délectant à l'avance, à la pensée du plantureux repas qui l'attend.

Il trouve la fausse Tora, en train de faire bouillir la marmite:

– Tu l'as donc déjà tué? lui dit-il en rentrant.

– Oui, répond-elle, j'ai pensé que tu aurais faim à ton retour. Tiens! vois comme ça sent bon!

Et, en parlant ainsi, elle soulève le couvercle. De la marmite en ébullition, s'échappe une odeur, que le vieillard ne peut s'empêcher de trouver très étrange!

Puis, il dépose ses instruments de travail, se lave les mains, s'assied devant la minuscule table où il prend ses repas, se fait servir, et commence à dévorer avec appétit. Pauvre Gombéiji! ne va pas si vite, et ne te délecte pas si fort! Si tu savais ce que tu manges!… A peine a-t-il avalé la dernière bouchée, qu'il entend derrière lui un formidable éclat de rire. Il se retourne. Quelle n'est pas sa stupeur! Sa vieille n'est plus là! A sa place, le blaireau, qu'il avait cru manger! Celui-ci, en effet, venait en un clin d'œil de reprendre sa forme naturelle, et riait à gorge déployée:

– Eh bien, vieux! lui dit-il, était-elle bonne, ta vieille? Car c'est elle que tu viens de manger!… Elle m'a détaché, la sotte! Alors, je l'ai tuée, puis coupée en morceaux, puis je l'ai fait cuire à ma place, et tu l'as avalée! Ah! ah! ah!…

Et, avant que Gombéiji ait pu revenir de sa surprise, le blaireau fit un bond vers la porte et s'enfuit de toute la vitesse de ses jambes.

Le malheureux vieillard resta longtemps, bien longtemps, sans pouvoir se remettre. De désespoir, il se serait volontiers arraché les cheveux, s'il en avait eu encore.

– Pauvre Tora! ne cessait-il de répéter en pleurant! C'est ta bonté qui t'a perdue!… Et moi, qui t'ai mangée!… Comment supporter le poids d'une pareille honte?… Puis-je survivre à un tel malheur!… Non, il ne me reste plus qu'à mourir, comme meurent les samuraï…

Chacun sait que les samuraï, pour sauver leur honneur, ne croyaient pouvoir mieux faire que de s'ouvrir le ventre. C'est donc à ce dernier parti que le malheureux vieillard se détermina.

Il aperçoit à ses pieds le couteau de cuisine, ce même coutelas, dont le blaireau s'est servi pour couper en morceaux l'infortunée Tora. Il le saisit d'une main tremblante. Puis, tombant à genoux, il prononce la suprême prière, la formule sacrée que prononcent les héros qui se donnent la mort: «Namu Amida butsu». Alors, rejetant son habit en arrière, il s'enfonce le couteau dans le ventre, et lentement, de gauche à droite, en promène la lame…

Gombéiji s'enfonça le couteau dans le ventre.

Mais, ô miracle! voilà qu'au même instant, la cabane s'illumine tout à coup d'une clarté mystérieuse. Une forme blanche et transparente s'approche du vieillard, étendu sans vie sur le sol… L'apparition touche la blessure de sa main diaphane… Du ventre entr'ouvert, pleine de vie et souriante, la vieille Tora s'échappe, et la blessure se referme… Puis, le fantôme disparaît et la lumière s'évanouit!…

Les deux vieillards, revenus à la vie, se regardent… Au comble de la surprise, ils ne savent d'abord que penser et que se dire… Ils comprennent enfin que le ciel est venu à leur secours… Ils tombent à genoux, remercient les dieux, pleurent, se félicitent, s'embrassent…

Le lendemain de ce jour mémorable, les deux époux s'entretenaient ensemble sur les moyens de se venger du blaireau qui leur avait fait tant de mal. Qu'était, en effet, devenu le blaireau? Il s'était réfugié dans sa tanière et, craignant à juste titre les représailles du vieux, il n'osait plus en sortir.

Les deux époux causaient donc ensemble. Tout à coup, un bruit léger de pas se fit entendre à la porte de la cabane. Une voix très douce demanda la permission d'enter. C'était le lièvre, le joli lièvre blanc qui habite dans la montagne, et qui venait leur faire visite.

Le lièvre n'est pas méchant comme le blaireau! Aussi les deux époux le reçurent très poliment. Ils le firent asseoir auprès d'eux, et lui offrirent du thé. Alors le vieillard lui raconta comme quoi le blaireau avait assommé sa femme et la lui avait fait manger; comment lui, de désespoir, s'était ouvert le ventre, qu'une divinité étant alors apparue avait rendu la vie à la vieille et guéri sa propre blessure. Ensuite il lui parla de leurs projets de vengeance, et lui demanda s'il ne connaîtrait pas un moyen de s'emparer du blaireau.

– Chers amis, répondit le lièvre, après avoir en silence écouté cet étrange récit, ne vous mettez pas en peine. Vous voulez une vengeance? Vous l'aurez. Et c'est moi-même qui m'en charge. Foi de lièvre, vous n'attendrez pas longtemps!

Là-dessus tous les trois se firent les saluts d'usage; le lièvre prit congé de ses amis et retourna dans son gîte, pour ruminer son plan.

Le blaireau, dans son terrier, s'ennuyait à mourir. A quelque temps de là, le lièvre vint le voir:

– Camarade, lui dit-il en entrant, que se passe-t-il donc? On ne te voit plus dans les champs. Serais-tu par hasard malade?

Le blaireau ne voulut pas expliquer à son visiteur le vrai motif pour lequel il se tenait caché, et lui répondit qu'en effet, il se sentait un peu malade.

– Mon cher, repartit alors le lièvre, ce n'est pas en restant ainsi enfermé que tu te guériras. Regarde quel temps splendide nous avons aujourd'hui! Voyons! ne viens-tu pas faire avec moi un tour de promenade? Nous irons à la montagne où nous ramasserons du menu bois.

Le blaireau, d'un côté, s'ennuyait à mourir. De l'autre, il n'avait aucun motif de soupçonner le joli lièvre blanc de lui vouloir du mal. Ce fut donc sans hésiter qu'il accepta la proposition. Ils partent bras dessus bras dessous, s'en vont dans la montagne, ramassent de menus branchages, en font des fagots et se les attachent mutuellement sur le dos. Puis, ils se disposent à redescendre. Le lièvre avait apporté un briquet: car le lièvre avait son plan. Profitant d'un moment où son compagnon est distrait, il passe doucement, derrière lui, bat le briquet pour en tirer du feu: «Katchikatchi», fait le briquet.

Le blaireau entend, et sans se retourner:

– Lièvre, demande-t-il, qu'est-ce qui a fait «Katchikatchi» derrière moi?

– Ce n'est rien, répond l'autre. La montagne où nous sommes s'appelle Katchikatchi; c'est son nom que tu as cru entendre!

Tout en parlant ainsi, le lièvre a mis le feu au fagot du blaireau. La flamme en crépitant fait «Ka-pika». Le blaireau demande encore:

– Qu'est-ce qui a fait «Ka-pika» derrière moi?

– Oh! ce n'est rien, répond le lièvre. La montagne où nous sommes s'appelle aussi Ka-pika; c'est son nom que tu as cru entendre!

Le fagot brûlait… La flamme atteignit bientôt les poils du blaireau. A la première sensation de la douleur, celui-ci poussa un cri d'effroi! Puis, la souffrance devenant de plus en plus cuisante, il se roula sur le sol, avec des contorsions horribles; enfin, n'en pouvant plus, il se précipita au bas de la montagne, et s'enfuit dans sa tanière, où il passa la nuit dans d'affreuses tortures.

Le lendemain matin, le lièvre vint lui faire une seconde visite:

– Camarade, lui dit-il, avec une tendresse feinte, il t'est survenu hier une aventure fort désagréable! J'ai eu pitié de toi. Je suis allé trouver un pharmacien de mes amis. Il m'a remis ce remède. Bois-le ce soir, avant de t'endormir, et demain tes souffrances auront complètement disparu.

Et il lui tendit une petite fiole, laquelle contenait un poison très violent, qu'il avait lui-même préparé avec des herbes de la montagne. Le blaireau, qui ne soupçonnait pas son ami d'avoir à son égard de mauvaises intentions, accepta sans méfiance aucune le soi-disant remède. Le lièvre lui souhaita alors bonne chance, et le saluant profondément, retourna dans son gîte, jouissant en son cœur du succès de sa ruse.

Le blaireau avala le poison. Aussitôt il éprouva dans tout son corps une brûlure épouvantable. Il se tordit comme un ver, au milieu d'atroces souffrances et se mit à pousser des cris déchirants. Le lendemain, à l'aurore, le lièvre vint voir si le blaireau était mort. Celui-ci n'était pas mort encore, car les blaireaux ont la vie dure. Il était couché et souffrait horriblement.

Le lièvre jugea alors que l'occasion était on ne peut plus favorable pour assouvir sa vengeance:

– Blaireau, lui cria-t-il, tu te souviens sans doute de la vieille Tora, que tu as assommée et fait manger à son mari. Eh bien, apprends que les dieux punissent toujours le crime. C'est moi qu'ils ont choisi comme instrument de leur vengeance. C'est moi qui ai mis le feu à ton fagot de bois au mont Katchikatchi. Ce remède que je t'ai apporté hier est un violent poison que je t'avais moi-même préparé pour te faire mourir. Meurs donc! Et que Gombéiji et Tora soient vengés!

Il dit, et saisissant une grosse pierre, il en assomma le blaireau, qui ne tarda pas à rendre le dernier soupir…

Le blaireau ne tarda pas à rendre le dernier soupir.

Le lièvre, après avoir accompli sa mission, se rendit de ce pas chez le vieux et la vieille qui l'attendaient dans leur cabane. Il leur raconta dans tous les détails l'histoire de la vengeance. Les braves gens furent bien heureux d'apprendre la mort de leur ennemi. Grande fut leur reconnaissance à l'égard du joli lièvre blanc qui les avait vengés. Ils l'adoptèrent pour leur fils, l'appelèrent Usagidono, l'aimèrent et le traitèrent bien. Le lièvre commença dès lors à leur rendre toutes sortes de services.

La veuve du blaireau vivait, avec ses deux enfants, dans une bien misérable condition. Tous les animaux de la montagne savaient ce qui s'était passé. On racontait partout, le soir à la veillée, les méfaits du blaireau, le secours inespéré du ciel, la vengeance du lièvre blanc. Ce dernier était porté aux nues, tandis que la conduite du premier était l'objet des appréciations les plus malveillantes. Aussi, point n'existait-il de pitié pour la veuve et ses deux fils.

Les pauvres déshérités ne pouvaient plus paraître en plein jour; dès qu'on les apercevait, c'était à qui les insulterait davantage. On leur jetait des pierres, les chiens aboyaient après eux, les loups les poursuivaient, les lièvres eux-mêmes riaient à leur passage.

L'aîné des deux enfants portait le nom de Tanukitaro; son frère s'appelait Yamajiro. Ils n'étaient pas méchants comme l'avait été leur père. Mais la situation dans laquelle ils vivaient était intolérable et, de tout cœur, ils haïssaient le joli lièvre blanc, qui avait tué leur père et les avait réduits à cette existence malheureuse.

Un des devoirs les plus sacrés de la piété filiale leur ordonnait de venger la mort de leur pauvre père. Ils décidèrent, en conséquence, de faire mourir son meurtrier. Mais ils savaient que ce dernier n'était point lâche ni poltron, comme le sont, en général, tous ceux de son espèce. Ils jugèrent prudent de s'exercer d'abord au maniement des armes. Voilà pourquoi, toutes les nuits, les deux frères passaient plusieurs heures à faire de l'escrime, sur le devant de leur tanière.

Yamajiro, quoique plus jeune, fit des progrès beaucoup plus rapides que son frère, car il était plus intelligent que l'aîné, chose que l'on rencontre assez souvent chez les bêtes. Il était aussi plus robuste et plus habile…

Pendant que les deux jeunes blaireaux se préparaient de la sorte à accomplir leur vengeance, le joli lièvre blanc habitait, comme nous l'avons dit, la cabane de Gombéiji. Sa renommée avait pris des proportions colossales. Tous les animaux le respectaient et le saluaient au passage. L'armée des lièvres l'avait nommé son général en chef.

Lui, toujours humble au milieu des honneurs, bon et serviable, rendait à Gombéiji et à Tora toutes sortes de bons offices. C'était lui qui puisait l'eau du puits, faisait la cuisine, lavait la vaisselle, présentait le thé et le tabac aux visiteurs.

On était arrivé au quinzième jour du huitième mois. Or, c'est la nuit de ce quinzième jour que les lièvres célèbrent leur fête patronale. Cette nuit-là, en effet, la lune, leur patronne et leur protectrice se montre dans tout son plein, et dans tout son éclat, au milieu d'un ciel d'une parfaite pureté. La tribu des lièvres se réunit donc chaque année en cette belle nuit pour festoyer, danser et boire.

Cette année-là, la veille du grand jour, Usagidono, à force d'instances, avait obtenu de ses vieux maîtres la promesse de l'accompagner à cette réunion qu'il devait présider lui-même. Ils allaient se mettre au lit, quand ils entendirent les pas d'un visiteur. C'était un lièvre tout jeune. Il pénétra dans la cabane, salua profondément le général en chef, et lui parla en ces termes:

– Excusez-moi de venir vous déranger à une heure aussi tardive. Il s'agit d'une affaire de la dernière importance. Je viens vous supplier de ne pas vous rendre à la réunion de demain soir. Voici pourquoi: les deux jeunes blaireaux, dont le malfaisant père a péri sous vos coups, veulent profiter de la fête pour vous faire un mauvais parti. Ils ne parlent de rien moins que de vous mettre à mort. Ma mère tient la chose d'une belette, amie de la famille. Il paraît aussi que, depuis plusieurs jours, les deux frères s'exercent au maniement des armes, et que Yamajiro, le cadet, y est devenu d'une habileté rare. Vous connaissez le proverbe qui dit: Le véritable héros ne s'expose pas au danger.

Quand le visiteur eut fini de parler, Usagidono répondit:

– Tu es vraiment bien aimable d'être venu me prévenir, et je te remercie de cette preuve d'affection, mais je suis résolu à ne point tenir compte du danger dont tu me parles. Depuis longtemps, je le sais, les deux fils du blaireau complotent ma mort. Quoi de plus juste et de plus naturel? N'ont-ils pas le devoir de venger leur père? Chacun son tour en ce monde. Je m'étais figuré que mes deux ennemis, profitant de la faculté de se métamorphoser que leur a octroyée la nature, useraient de ruse pour me tuer à l'improviste. Il paraît qu'ils renoncent à employer ce déloyal stratagème, ils veulent se mesurer avec moi à face découverte. Je les admire et les estime. Je serai heureux de mourir de la main de ces deux braves. Bien loin donc de les fuir, je veux aller moi-même au-devant de leurs coups.

Ainsi parla le joli lièvre blanc. Le vieux Gombéiji l'avait écouté en silence. Puis, il prit à son tour la parole:

– Mon cher enfant, dit-il à son fils adoptif, ce que tu viens de dire est raisonnable, et je ne puis que t'approuver. Laisse-moi cependant te faire une remarque. Tu vas mourir, dis-tu, de la main des blaireaux. Qu'arrivera-t-il après? Il arrivera que les lièvres qui t'ont choisi pour chef voudront à leur tour venger ta mort: ce sera également leur droit et leur devoir. Ils tueront donc les deux blaireaux. Puis, la tribu des blaireaux voudra venger la mort des deux enfants. La lutte entre lièvres et blaireaux continuera de la sorte de génération en génération, chose fort regrettable.

N'y a-t-il pas un moyen de mieux arranger les choses? Écoute. Voici à quoi je pense depuis quelques jours. Le blaireau que tu as tué était mon ennemi quand il vivait; maintenant, il n'est plus de ce monde; je n'ai aucune raison de lui continuer ma haine. Je songe donc à lui élever un tombeau et à faire célébrer pour lui un service solennel, auquel seraient convoquées les deux tribus des blaireaux et des lièvres. Je ferais aussi une pension à la pauvre veuve. Les deux fils reconnaissants abandonneraient sûrement leur projet de vengeance, et la paix serait rétablie.

Usagidono approuva pleinement la géniale et généreuse proposition de son maître. Il fut donc convenu que tout le monde se rendrait à la fête et que le lièvre blanc annoncerait publiquement la chose. Là-dessus, le visiteur prit congé. Gombéiji, Tora et Usagidono se couchèrent, l'âme heureuse et le cœur plein d'espérance.

Le moment solennel est arrivé. De toutes les montagnes avoisinantes, les lièvres accourent par groupes joyeux. Ils se réunissent sous une vaste tente, dressée au pied d'un pin énorme et tendue de drapeaux et d'oriflammes qui battent au souffle de la brise. Les salutations d'usage terminées, le repas commence.

Plusieurs centaines de lièvres sont assis, formant un immense cercle. Chacun a devant soi la minuscule table qui porte la fiole de saké, l'assiette de poisson découpé en tranches et la tasse de riz. A la place d'honneur, sur un siège plus élevé, est assis Usagidono, président de la réunion. Il a à sa droite le vieux Gombéiji, et à sa gauche la vieille Tora.

Les deux jeune blaireaux s'étaient approchés en silence, étouffant le bruit de leurs pas. Ils avaient revêtu leur costume de guerre, et portaient au côté deux sabres à la lame affilée. Ils regardèrent à travers les fentes, et aperçurent leur ennemi. Yamajiro voulut à l'instant pénétrer sous la tente et accomplir sa vengeance, mais son frère le retint:

– Attends encore, lui dit-il, en lui saisissant le bras. Tu vois bien qu'ils sont plusieurs centaines. Que pourrions-nous contre un si grand nombre? Attends! Ils vont boire. Bientôt ils seront ivres: alors nous pourrons sans danger accomplir notre vengeance.

Les lièvres, en effet, buvaient. Les tasses de saké circulaient de main en main. Les chants d'usage allaient commencer… Tout à coup, un grand silence se fit dans la salle. Le chef s'était levé et, d'un geste solennel, il avait commandé l'attention. Tous les regards s'étaient tournés vers lui. A la porte, les deux blaireaux intrigués tendirent l'oreille:

– Chers amis, commença l'orateur, puisque nous sommes tous réunis ce soir pour fêter notre illustre patronne, je voudrais profiter de la circonstance pour vous faire une proposition que, j'en suis sûr d'avance, vous voudrez tous accepter.

Des applaudissements éclatèrent, preuve que la proposition du chef, quoiqu'inconnue encore, était assurée à l'avance d'obtenir l'assentiment universel. Le lièvre blanc raconta ensuite dans tous ses détails l'histoire du blaireau et les péripéties de sa mort. Puis il ajouta:

– Sa veuve et ses deux fils mènent aujourd'hui une existence bien malheureuse. Mis au ban de leur tribu, insultés et maudits par tous les animaux de la montagne, ils subissent un sort qu'ils n'ont pas mérité, car il n'est pas juste que les crimes du père retombent sur ses enfants. Je viens donc vous proposer une réconciliation générale, vous demander de rendre votre amitié à la pauvre veuve et à ses deux braves fils.

Ici, les applaudissement redoublèrent. Les deux blaireaux se regardent, surpris de ce langage auquel ils étaient si loin de s'attendre, Usagidono continua:

– Mon vieux maître, ici présent, veut élever une tombe à son ancien ennemi. Il désire qu'on lui fasse des funérailles solennelles. Il nous demande aussi d'organiser une souscription généreuse pour faire une pension à la veuve infortunée.

A peine ces derniers mots eurent-ils été prononcés, qu'un grand bruit se produisit du côté de la porte. Les deux blaireaux venaient de faire irruption dans la salle. Les lièvres, effrayés, se levèrent d'un mouvement commun et se massèrent autour de leur chef. Les deux frères s'étant avancés jettent au loin leurs armes et se prosternent devant Usagidono, versant des larmes abondantes. Le lièvre blanc les relève et les embrasse. Alors un frémissement d'émotion s'empare de la salle entière. Les deux blaireaux sont portés en triomphe. Une danse folle s'organise et, jusqu'à l'aurore, jusqu'à ce que la lune ait disparu derrière la montagne, ce fut une fête telle que les lièvres n'en avaient jamais eu.

Le lendemain, Usagidono promena dans la campagne la veuve du blaireau et ses deux enfants. Il leur fit faire de nombreuses connaissances et les réconcilia avec tous leurs ennemis. Les deux tribus des lièvres et des blaireaux se réunirent ensuite: on se jura de part et d'autre amitié éternelle; puis, un cortège s'organisa et le corps du blaireau fut transporté dans la tombe que Gombéiji lui avait préparée.

Le corps du blaireau fut transporté dans la tombe qui lui avait été préparée.

Depuis ce jour, lièvres et blaireaux ont toujours vécu dans les rapports de l'harmonie la plus parfaite et de la plus étroite amitié.

Le monstre Yatama

Il y a bien longtemps de cela: les nombreuses îles du Japon venaient à peine d'être enfantées par la déesse Izanami. Sa fille Amatérasu, déesse du soleil, régnait, majestueuse et brillante, dans les splendeurs infinies du Takamagahara, c'est-à-dire du ciel. Elle avait un frère, plus jeune qu'elle de quelques années, qui répondait au nom de Susanoonomikoto. Il était d'une taille gigantesque, fort comme un taureau, capricieux comme une chèvre, et espiègle comme un singe. Le plus grand de ses plaisirs était de faire des malices et de jouer des tours, tantôt à la déesse sa sœur, tantôt aux autres divinités du Takamagahara. Mais, comme il n'avait pas mauvais cœur, ces illustres personnages lui pardonnaient bien des choses et ne lui gardaient généralement pas rancune.

Un jour pourtant, il se permit une fantaisie qui dépassait toutes les bornes. La déesse du soleil venait de faire construire un immense et magnifique atelier de tissage. On ne pourrait dire combien de tracas et de soucis lui avait causés cette installation. En conséquence, elle y tenait de tout son cœur. Elle en était fière, et la montrait avec orgueil aux autres divinités. Un jour donc, Susanoonomikoto, cédant à un très mauvais instinct, s'avisa de mettre le feu à l'atelier en question, le détruisit de fond en comble, et fit périr dans les flammes toutes les ouvrières qu'y employait sa sœur.

Le fils de la déesse était espiègle comme un singe.

Amatérasu, en apprenant la chose, entra dans une violente colère. Si grand fut son dépit que, pour se venger et pleurer à son aise, elle s'enferma dans une grotte profonde et résolut de n'en plus sortir. Ce fut un vrai désastre. Le ciel et la terre se trouvèrent tout à coup plongés dans l'obscurité la plus complète. Une épaisse nuit enveloppa l'univers. Les hommes terrifiés se crurent à la fin du monde et, de chaque partie du globe, s'éleva vers le ciel une immense clameur de détresse.

Le Takamagahara lui-même fut le théâtre d'une agitation et d'un trouble insolites. Tous ses dieux et toutes ses déesses sortirent de leurs palais, s'informant les uns les autres de la cause de cette obscurité subite et totale. Le conseil des divinités se réunit…

On délibère, on discute avec ardeur dans l'assemblée des dieux. Les opinions se heurtent, les discours se succèdent. Il faut trouver à tout prix le moyen d'obliger Amatérasu à sortir de sa grotte. Mais, quel moyen employer? Quelle démarche faire? Asagaonomikoto, le plus jeune des dieux, à l'esprit prompt, à l'intelligence vive et ouverte, s'avance au milieu de l'auguste assemblée:

– Vous savez tous, dit-il à ses collègues, que la déesse Amatérasu aime à la folie la musique et la danse. Je propose donc de nous rassembler devant l'entrée de la grotte et d'y organiser un bal. Nous y ferons grand vacarme jusqu'à ce que, cédant à la curiosité ou à la colère, elle entr'ouvre sa porte.

La proposition du jeune dieu est ingénieuse et son plan paraît devoir réussir. On l'adopte à l'unanimité, et la séance est levée, après qu'on a déterminé le moment du rendez-vous.

A l'heure convenue, tous les dieux du Takamagahara se réunissent donc devant la grotte où, boudeuse et chagrine, Amatérasu s'est enfermée. Chacun porte avec soi l'instrument favori dans lequel il excelle. La danse s'organise. Les tambours et les flûtes, les guitares et les gongs mêlent leurs sons et leurs accords aux cris, aux chants. Le rythme s'accélère. Le bal se transforme bientôt en une ronde affolée, en un tumulte indescriptible, dont les échos descendent jusque sur la terre, et y sèment l'épouvante…

Amatérasu entend du fond de sa grotte:

– Que se passe-t-il aujourd'hui, se dit-elle; que signifie ce tapage?

La curiosité devient tellement forte que la déesse, toute déesse qu'elle est, n'y tient plus. Elle entr'ouvre la porte, à travers laquelle s'échappe à l'instant un flot de lumière. Soudain, elle se sent saisie au bras par une main de fer. C'est la main de Chikaravônomikoto, le plus fort de tous les dieux. Il se tenait à l'entrée de la grotte, prêt à saisir la déesse au moment où elle en ouvrirait la porte. Amatérasu a été entraînée au dehors, et la porte repoussée s'est refermée sur elle. A l'instant, le ciel et la terre reviennent à la vie. La lumière les inonde de ses flots bienfaisants. L'univers retentit des cris de joie poussés par tous les êtres. Le soleil a reparu, et les choses de ce monde reprennent toutes leur cours normal.

Les dieux se sont précipités aux pieds d'Amatérasu. Ils la supplient de ne plus désormais se renfermer dans sa grotte, et de ne plus les priver de sa lumière. Elle promet, mais elle exige une condition. C'est que son frère Susanoonomikoto sera puni de son forfait. Il sera banni de l'assemblée des dieux, chassé du Takamagahara et exilé sur une terre lointaine. Il en fut fait ainsi, et Susanoonomikoto, expulsé du ciel, fut précipité sur la terre. Il tomba dans le pays d'Idzumo, à l'endroit appelé aujourd'hui Hinokawakami. Là, il resta quelque temps, pleurant sur sa grande infortune.

Un jour qu'il se promenait sur le bord de la rivière, il aperçut une paire de bâtonnets que le courant emportait à la dérive.

– Puisque voilà des bâtonnets, il y a sans aucun doute, en amont, des êtres humains, conclut le dieu par un raisonnement logique.

Susanoonomikoto, expulsé du ciel, fut précipité sur la terre.

Il part aussitôt et longe, en le remontant, le cours de la rivière. Il se trouve bientôt en face d'une cabane, à moitié délabrée, sise sur le penchant d'une haute montagne. Susanoonomikoto s'approche en étouffant le bruit de ses pas, et à travers les fentes d'une porte mal jointe regarde l'intérieur. Il y voit un vieillard grisonnant, une vieille plus grisonnante encore et une jeune fille de dix-huit à vingt ans. Le vieux et la vieille pleuraient, assis auprès de leur petit brasero. Ils paraissaient comme accablés sous le poids d'un immense chagrin. La jeune fille ne pleurait point, mais sur son visage se lisait sans peine l'expression d'une grande mélancolie et d'une douce résignation.

Elle était d'une beauté extraordinaire. Le dieu n'avait jamais pensé que parmi les mortels, il pût se rencontrer de si belles et si ravissantes créatures. Il éprouva à sa vue un je ne sais quoi d'intime, qu'il n'avait encore jamais éprouvé. Lui, qui descendait des hauteurs du Takamagahara, subit les charmes d'un amour ardent pour cette humble fille de la terre.

Il entr'ouvrit doucement la porte et sans bruit pénétra dans l'intérieur de la cabane. La jeune fille, à sa vue, poussa un cri d'effroi et se précipita vers sa mère. Le vieillard et sa femme levèrent la tête et leurs regards étonnés fixèrent avec crainte le voyageur inconnu. Susanoonomikoto était beau, lui aussi, beau d'une beauté divine. Son visage respirait la force et la santé. Sa taille gigantesque commandait le respect.

Le dieu, s'approchant des trois personnages, leur demanda d'une voix douce et sympathique quelle était la cause de leurs larmes et du chagrin dans lequel ils paraissaient plongés. Ce fut le vieillard qui prit la parole pour répondre:

– Noble voyageur, dit-il, nous ignorons qui vous êtes, mais votre sympathie nous émeut et nous touche. Je m'appelle Ashinazuchi; ma femme se nomme Katazuchi, et notre fille que vous voyez là répond au nom de Inadahimé; nous avons eu huit enfants depuis notre mariage et tous ces enfants étaient des filles. Celle que vous voyez là est la dernière qui nous reste.

Or, vous allez juger de notre malheur et connaître la cause de nos larmes. Tout près d'ici habite le monstre Yatama, le serpent à huit têtes, qui a trente pieds de long. Ce serpent vient tous les ans dans ces parages, et nous emporte chaque fois une de nos enfants qu'il dévore. Nos sept premières filles ont ainsi disparu l'une après l'autre, il ne nous reste plus maintenant que celle qui est devant vous.

C'est aujourd'hui que le monstre doit venir. Il viendra à la nuit tombante et nous emportera notre dernière enfant pour la dévorer. Voilà, noble voyageur, le récit de notre infortune, et le motif de notre chagrin.

– Braves gens, répond alors Susanoonomikoto, ému jusqu'aux larmes, remerciez le ciel de m'avoir aujourd'hui envoyé près de vous. Je vais rester jusqu'à la nuit tombante. J'attendrai le serpent. Je le tuerai de ma main, et sauverai votre fille.

Le vieillard le regarda, et lui sourit tristement:

– J'admire, lui dit-il, votre bravoure et votre bonté. Mais, hélas! vous ignorez à qui vous avez à faire. Non, non; ne vous exposez pas; vous y perdriez inutilement votre précieuse vie.

– Et vous, noble vieillard, répond alors le dieu, se redressant de toute la hauteur de sa taille, vous ignorez quel est celui qui vous parle et vous promet le salut de votre fille. Apprenez-le donc. Je ne suis point un homme. Je m'appelle Susanoonomikoto, je suis le frère de la déesse Amatérasu.

A ces mots, le vieillard, sa femme et sa fille, tremblants à la fois de crainte et de bonheur, se prosternent et adorent; puis, joignant les mains et s'avançant à ses pieds, le remercient d'être venu près d'eux pour leur porter secours…

Le dieu se dirige seul vers la montagne. Il prend huit énormes blocs de pierre et les transporte devant la cabane. Puis, il prononce sur elles quelques paroles mystérieuses, et les pierres se transforment en auges. Il les remplit ensuite avec l'eau de la rivière, frappe trois coups sur chacune d'elles de la pointe de son sabre, et cette eau se transforme à l'instant en saké délicieux.

Il fait placer ensuite la jeune et belle Inadahimé sur un petit monticule, de façon à ce que son visage se reflète dans chacune des auges. Il se cache lui-même derrière un rocher et attend, tranquille et calme, l'arrivée du serpent.

Le soleil avait disparu derrière la montagne. La lune venait de se lever. Tout à coup, dans le lointain, on put apercevoir comme seize étoiles de diamant qui brillaient d'un vif éclat dans la profondeur de la nuit. Ces étoiles se rapprochèrent. C'étaient les yeux pétillants de convoitise des huit têtes du monstre. Il s'en vint tout près de la cabane et fit entendre à la fois huit sifflements aigus. Le vieillard et sa femme tremblèrent. Ce cri leur rappelait leurs sept filles mortes et le danger que courait leur chère Inadahimé.

Le serpent, attiré par l'odeur du saké, s'approche avec lenteur, et ses huit têtes se lèvent d'un même mouvement. Il aperçoit dans chacune des auges le visage de celle qu'il cherche. Son énorme queue bat un moment l'espace, signe de son immense joie. Les huit têtes plongent aussitôt, et le monstre, d'un seul trait, avale la précieuse liqueur, jusqu'à la dernière goutte. Mais aussitôt ses regards se troublent, le vertige de l'ivresse le saisit, il s'étend sur le sol, puis se replie sur lui-même et s'endort.

Susanoonomikoto sort à ce moment de sa cachette. Il tire son sabre du fourreau et, d'une main habile, abat l'une après l'autre les huit têtes du monstre, dont le corps bondit en des contorsions effrayantes.

Le dieu veut achever sa victime. Il la découpe en morceaux. Mais, au moment où il allait séparer la queue du tronc, son sabre est arrêté par un corps résistant, qui fait entendre un son métallique. Le dieu, surpris, s'arrête et, délicatement, entr'ouvre les chairs. Quelle n'est pas sa surprise d'apercevoir dans la queue du monstre un autre sabre étincelant, tout incrusté de diamants et de pierres précieuses, un sabre si beau que les dieux du Takamagahara n'en virent jamais de pareil!

Susanoonomikoto abattit, l'une après l'autre, les huit têtes du serpent.

Susanoonomikoto le retire et se dit à lui-même qu'il l'emportera au ciel, en fera cadeau à sa sœur Amatérasu; par ce moyen-là, il se réconciliera avec elle, et pourra reprendre sa place dans l'assemblée des dieux…

On se figure la joie du pauvre vieillard et de sa femme, en apprenant que le monstre est mort et leur enfant sauvée. Ils ne surent comment remercier le dieu. Celui-ci demanda et obtint la main de la belle Inadahimé, qu'il aimait grandement. Ils se marièrent, se construisirent au pied de la montagne une habitation élégante, et vécurent longtemps ensemble dans la plus parfaite harmonie. Puis, quand le temps de l'exil eut atteint son terme, le dieu retourna au Takamagahara, emmena avec lui la belle Inadahimé, la présenta aux autres divinités, qui la nommèrent déesse.

On voit encore aujourd'hui, dans le pays d'Idzumo, la maison qu'habitèrent Susanoonomikoto et son heureuse épouse. Cette maison est devenue un temple, le temple le plus célèbre du Japon, après celui d'Isé. Les prêtres qui le desservent sont les descendants directs de ces deux divinités. Les habitants de la contrée ont toujours eu pour ce temple la plus grande vénération. On y vient même en pèlerinage de toutes les parties du Japon.

La sabre précieux que Susanoonomikoto trouva dans la queue du monstre Yatama fut offert dans la suite à l'Empereur du Japon, par la déesse Amatérasu. Il porte le nom de Kusanagi-no-tsurugi. Ce sabre, le miroir sacré, et le sceau de pierre précieuse, sont les trois talismans de l'Empire.

On le conserve, dit-on, à Atsuta, province d'Owari.

L'unique parapluie

Un beau soir d'été, le ciel est parsemé d'étoiles, au milieu desquelles la lune, dans son plein, trône comme une reine.

Le boulevard de Masagocho est noir de monde: flâneurs attitrés, qui s'ennuient chez eux le soir; touristes de passage, qui viennent étudier les curiosités de la rue; amateurs à la recherche de quelque objet nouveau; étudiants et étudiantes, en quête de distractions; sœurs aînées ou grand'mères promenant, attaché sur leur dos, un marmot qui dort ou piaille: c'est un perpétuel va-et-vient d'ombres qui se détachent en noir sur la lumière projetée par la lune.

De temps à autre des cris variés: c'est un Kurumaya qui se fait un passage à travers la foule. Il tire en courant sa voiture, sur laquelle se prélasse un monsieur à la dernière mode, tout fier de voir qu'on se dérange pour lui, ou bien, c'est le marchand ambulant de vermicelle; il porte sur l'épaule un long bambou aux deux extrémités duquel se balancent les longues boîtes qui contiennent la soupe fumante. C'est encore le masseur de profession, aveugle et grave: de la main droite, il tient un long bâton, dont il se sert pour assurer sa démarche incertaine, et de la main gauche, un petit sifflet, qu'à intervalles réguliers il porte à la bouche pour en tirer ce son particulier, semblable au cri de la chouette, qui le fait reconnaître partout.

Des magasins coquets et gracieux sont alignés de chaque côté de la rue.

De chaque côté de la rue sont alignés les petits magasins, coquets et gracieux, brillamment éclairés, les uns par des lampes à pétrole, les autres à la lumière électrique. Largement ouverts à tous les regards, ils exposent sans aucun mystère leurs marchandises diverses, rangées dans un ordre élégant.

Ils sont un peu délaissés le soir. La foule préfère circuler devant les nombreux étalages qui se succèdent de chaque côté du boulevard, à une petite distance des maisons. Ces étalages consistent en un simple tapis ou une mince natte étendue sur le sol. Éclairés par des lampes fumeuses ou des lanternes bigarrées, ils forment un panorama ravissant, que dépare à intervalles réguliers l'ombre épaisse des énormes et disgracieux poteaux du télégraphe ou du téléphone.

Là, sont alignés avec goût et élégance tous les objets à la mode du jour: fleurs et fruits de la saison, bijoux faux, lunettes de myope ou de presbyte, étoffes et soieries, porcelaines et ustensiles de ménage, bouquins et vieilles revues, jouets d'enfants, sucreries et pâtisseries alléchantes. Derrière chaque étalage, assis sur les talons et fumant tranquillement sa pipe, le marchand ou la marchande attend les acheteurs et invite les passants.

Les spectacles sont variés. Voici le bouquiniste, devant l'étalage duquel les étudiants s'arrêtent. Ils contemplent et feuillettent de vieux livres que, la plupart du temps, ils n'achèteront pas: car l'étudiant, en général, loge le diable dans sa bourse.

Ici, c'est le diseur de bonne aventure, le voyant de l'avenir. Il est assis devant une petite table, sur laquelle sont posés les bâtonnets mystérieux aux chiffres fatidiques. Grave et solennel, il attend que quelque naïf vienne lui confier ses secrets, et moyennant trois sous, apprendre de sa bouche la solution d'un problème d'avenir.

Là, c'est le charlatan bavard qui vend des drogues auxquelles il décerne un brevet d'efficacité infaillible, déblatère contre les médecins qui tuent le pauvre monde, et vendra cinq sous une fiole merveilleuse.

Yotaro se promène.

A quelques pas de lui, un jeune homme à la faconde intarissable, monté sur un tréteau et dominant la foule du geste et de la voix, vend aux enchères des étoffes, que tout naturellement il déclare inusables et de qualité supérieure. Plus loin, nous rencontrons le calligraphe habile; accroupi devant une immense feuille de papier, il trace sur elle, avec un pinceau qu'il s'est fixé au front, des caractères chinois, dont tout le monde s'accorde à proclamer le dessin admirable.

En face, sur une table recouverte d'un tapis, est installé un phonographe discret, du sein duquel s'échappent, comme autant de rayons, de longs tubes en caoutchouc. De nombreux auditeurs ont acheté pour un sou le droit de s'enfoncer ces tubes dans les oreilles, et ils écoutent immobiles la mélodieuse symphonie. Enfin, pour terminer, voici un homme d'un certain âge qui vend des verres de lampe incassables. Ne riez pas: car ce qu'il dit, il le prouve. Il se sert, en effet, de ces verres de lampe, tantôt comme d'un marteau pour enfoncer des clous, tantôt comme de baguettes de tambour pour frapper sur une planche.

Perdu dans la foule, Yotaro se promène. C'est un garçon de quinze ans. Il porte la casquette des étudiants d'un lycée quelconque. De la main droite, il tient un immense parapluie, grand ouvert. Ce parapluie est en papier huilé, couleur paille, à baleines de bambou. Tout le monde peut y lire de loin, tracés en gros caractères, les nom et prénom de son propriétaire, le nom de sa rue et le numéro de la maison qu'il habite. «Quel original!» se disent les passants sans y prêter une plus grande attention: car, à cet âge, toutes les fantaisies sont permises.

Yotaro rencontre un de ses camarades d'école:

– Quel est donc, Yotaro, le motif séduisant

Qui te pousse à porter ce riflard élégant?

Pleuvrait-il à torrents, sous des cieux aussi pâles?

– S'il pleuvait quelque chose, il pleuvrait des étoiles!

– Serait-ce le soleil qui te blesse les yeux?

– Non, car depuis une heure, il a quitté nos cieux.

– Craindrais-tu par hasard l'influence lunaire?

– Phébé ne brûle pas le monde qu'elle éclaire.

– Mais alors… pourquoi donc ce parasol gênant?

– Devine, si tu peux; je te le donne en cent.

– J'ai deviné! Tu veux, dans ton orgueil extrême,

 Te faire remarquer: c'est toujours ton système!

– Que le monde m'observe ou ne m'observe pas,

 Cela m'est bien égal, et ne me trouble pas,

– Alors, tu n'es qu'un fou; je vais te faire pendre!

– Un fou? Non, non! Écoute, ami. Tu vas comprendre.

 Pour quatre, nous n'avons dans toute la maison

Que ce seul parapluie: il fait chaque saison.

 Quand il pleut, mon papa, pour aller à l'ouvrage,

L'emporte; quand il fait un soleil sans nuage,

Ma maman le prend, pour aller chez le marchand.

Si je veux à mon tour me payer l'agrément

De le porter parfois, puis-je autre temps le faire

Que lorsqu'il ne pleut pas, et que la lune est claire?

Yotaro reçut un formidable coup de poing.

Et Yotaro continue sa promenade, le parapluie toujours ouvert, à travers la foule. Tout à coup, il se sent violemment arrêté par le bras, tandis qu'un formidable coup de poing vient s'abattre sur sa tête. Le pauvre parapluie, brusquement arraché de la main qui le porte, va rouler dans la poussière…

Yotaro distrait avait failli crever l'œil d'un paisible passant. Il résolut ce soir-là de ne plus exposer l'unique parapluie de la famille à de si désagréables aventures et d'aller désormais le promener dans la campagne, loin de la foule.

Les huit Chevreaux

Il y avait une fois une chèvre. Cette chèvre s'appelait Yagisan. Elle avait huit chevreaux. Ces huit chevreaux aimaient bien la chèvre, et la chèvre le leur rendait bien.

Un jour, Yagisan partit pour la ville; elle allait aux provisions. Avant de partir, elle dit aux chevreaux:

– Mes enfants, il faut être bien sages pendant mon absence. Vous ne sortirez pas. Vous n'ouvrirez la porte à personne, absolument à personne. Je serai bientôt de retour. Je vous apporterai des bonbons.

Les chevreaux promirent d'être bien sages, de ne pas sortir et de n'ouvrir la porte à personne, absolument à personne. Et la chèvre partit un panier au bras. Les enfant fermèrent toutes les portes. Puis, pour passer le temps, ils se mirent à jouer à pigeon vole.

Yagisan marchait à grands pas vers la ville. Le loup la vit passer. Il eut l'idée de sauter sur elle et de la manger. Car le loup aime bien les chèvres. Puis, réflexion faite, il se dit:

– Au lieu de manger la maman, je vais manger les petits. Ils sont huit, et la chair est plus tendre.

Les chevreaux promirent d'être bien sages.

Il se dirige de ce pas vers la maison de la chèvre. En route, il se lèche les babines et aiguise ses dents.

– Pourvu que la porte soit ouverte! se dit-il.

Il arrive. La porte est fermée. Par une fente, il entrevoit les huit chevreaux jouant à pigeon vole. Il frappe doucement.

– Qui va là? demande l'aîné des petits.

– Il ne faut pas ouvrir. Maman l'a défendu, dit le plus jeune.

– C'est moi, répond le loup; moi, votre tante; vous savez, votre tante Hayatobisan. Je vous apporte des bonbons. Ouvrez-moi!

– Cette voix n'est pas la voix de notre tante, remarque l'un des chevreaux. Notre tante a une voix bien plus douce, plus tremblante et plus traînante.

– Nous n'ouvrons pas à notre tante! crie alors l'aîné des petits.

Et tous se mettent à rire et continuent à jouer.

Le loup a tout entendu. Il se reproche de n'avoir pas une voix douce, tremblante et traînante.

– Je reviendrai! dit-il.

Et vite il court chez un célèbre pharmacien:

– Donnez-moi, lui dit-il, une médecine pour adoucir la voix et la rendre chevrotante.

Le pharmacien lui donne le remède, mais le loup se garde bien de dire au pharmacien pourquoi il veut changer sa voix.

Après avoir pris la médecine, il retourne à la maison de la chèvre. La porte en est toujours fermée; les chevreaux jouent toujours. Le loup frappe doucement:

– Qui va là? demande l'aîné des petits.

– Il ne faut pas ouvrir! Maman l'a défendu, répète le plus jeune.

– C'est moi, répond le loup… moi, votre grand'mère… vous savez, votre grand'mère Nakigoesan! Ouvrez-moi. Je vous apporte des feuilles de choux!

Un chevreau plus curieux s'approche de la porte et regarde par la fente.

– Ce n'est pas notre grand'mère, s'écrie-t-il. Grand'mère a des pieds tout blancs, blancs comme la neige. Celui-ci a des pieds tout noirs, noirs comme le charbon.

– Nous n'ouvrons pas à notre grand'mère, crie alors l'aîné des petits, et tous se mettent à rire, et continuent à jouer.

Le loup a tout entendu. Il se reproche de n'avoir pas des pieds blancs comme la neige.

– Je reviendrai, dit-il.

Et vite il court chez un célèbre teinturier:

– Veuillez me teindre les pieds en blanc; rendez-les blancs comme la neige.

Le teinturier lui teint les pieds, mais le loup se garde bien de dire au teinturier pourquoi il veut avoir les pieds blancs comme la neige. Après cela, le loup retourne encore à la maison de la chèvre. La porte en est toujours fermée; les chevreaux jouent toujours. Le loup frappe doucement.

Le teinturier lui teint les pieds.

– Qui va là? demande l'aîné des petits.

– Il ne faut pas ouvrir! Maman l'a défendu, répète le plus jeune.

– C'est moi, répond le loup… moi, votre maman! Je reviens de la ville et vous apporte des bonbons.

– La maman! crient en chœur les huit petits chevreaux.

Cette fois, le doute n'est plus possible. La voix est la voix de la chèvre; les pieds sont ses pieds. C'est la mère!… La porte s'ouvre… le loup entre. Le plus jeune des chevreaux se précipite derrière un paravent. Il se tient là, tremblant de peur. Il voit ses sept frères disparaître l'un après l'autre dans la gueule formidable du loup.

Celui-ci, ayant achevé son repas, quitte la maison de la chèvre et retourne à la forêt.

Yagisan revient de la ville. Elle voit la porte ouverte. Un pressentiment terrible la saisit. Elle entre et ne voit plus ses petits… Sur les nattes, des taches de sang:

– Oh! s'écrie-t-elle en s'arrachant les poils de désespoir, ils ont ouvert la porte!… le loup sera venu et les aura mangés!…

Et elle pleure!

Le plus jeune des chevreaux s'était caché derrière le paravent. Le loup ne l'avait point vu. Apercevant sa mère, il sort de sa cachette, se jette dans ses bras, et, d'une voix tremblante, lui raconte la terrible aventure.

La chèvre, ayant tout entendu, se redresse furieuse. Ses yeux lancent des éclairs.

– Je retrouverai mes petits, s'écrie-t-elle, et je me vengerai!

Et, suivie de son chevreau, elle s'élance à la piste du loup.

Le loup était retourné au bois. Il s'était étendu dans un épais taillis, et là, tout en faisant sa digestion, il s'était endormi.

Yagisan trouve le loup endormi dans les broussailles. Son sommeil est profond. Il ronfle bruyamment. La chèvre s'approche sans faire de bruit, car elle ne veut pas réveiller le loup. Elle prend des ciseaux, et délicatement entr'ouvre la peau du ventre. Le loup ne se réveille pas. Les sept petits chevreaux sont là, dans le ventre du loup, vivants, bien portants, entassés comme des petits oiseaux dans leur nid.

Ils sortent en poussant des cris de joie. Ils reconnaissent leur maman, se jettent à son cou, la couvrent de caresses. Le loup est toujours endormi. Mais il n'y a pas de temps à perdre. Vite, la mère ordonne aux sept petits de lui apporter chacun une pierre. Les petits obéissent aussitôt. La chèvre prend les sept pierres et les dépose dans le ventre du loup, à la place même où tout à l'heure étaient ses sept petits. Puis, prenant une grosse aiguille et du gros fil, elle enfile la grosse aiguille et délicatement recoud la peau du ventre. Cela fait, elle se retire à l'écart avec ses huit chevreaux.

Pendant l'opération, le loup dormait toujours. Il se réveille au bout d'un quart d'heure, se lève, se frotte les yeux, s'étire. Son ventre est lourd, très lourd!

– La digestion est difficile! dit-il à haute voix.

Les chevreaux ont entendu. Ils étouffent un rire.

Le loup est dévoré par la soif, une soif brûlante. Il descend vers un étang, s'approche et se baisse pour boire. Au même instant, les sept pierres roulent l'une après l'autre jusque vers son gosier. Le loup, entraîné par le poids, tombe dans l'étang.

Le loup, entraîné par le poids, tombe dans l'étang.

La chèvre et les chevreaux voient le loup se débattre. Ils applaudissent, rient et chantent. Le loup est descendu jusqu'au fond de l'étang, d'où il n'est plus ressorti…

La vengeance des chèvres est terrible!

Les aventures de Benké

Musashibo Benké était, s'il faut en croire certains chroniqueurs, le troisième fils du bonze Benshô, prieur de l'antique et célèbre monastère de Gonguen. D'aucuns disent pourtant qu'il avait le diable pour père. Les circonstances extraordinaires dont fut accompagnée sa naissance donnent à cette dernière opinion une certaine valeur.

D'abord, au moment même où il vint au monde, il se produisit un tremblement de terre tel que, de mémoire d'homme, on n'en avait jamais vu. Deux énormes vautours vinrent se poser sur le toit du temple, et poussèrent des cris lugubres.

Benké naquit âgé de dix-huit mois et possédant déjà quatre-vingts centimètres de taille. Il avait une chevelure touffue comme celle d'une jeune fille, des dents aussi longues que celles d'un enfant de quinze ans, un nez énorme, de grandes oreilles, deux yeux flamboyants, du poil aux pieds et aux mains.

Il était à peine né qu'il se mit à marcher, à sauter, à courir. D'un coup de poing solide, il réduisit en pièces la cuve dans laquelle on voulut lui faire prendre son premier bain… Le même jour, ayant par hasard aperçu dans la cour une poule qui prenait ses ébats, il se mit à sa poursuite, la saisit, lui tordit le cou, la pluma et la mangea toute crue.

Sa mère mourut en le mettant au monde. Le bonze ne se consola pas de la perte de sa femme qu'il aimait tendrement. Il accusa Benké, non sans raison, d'être cause de sa mort. Il n'éprouva dans son cœur aucun sentiment d'affection à l'égard de ce monstre que les dieux, ou le diable, lui avaient octroyé. Il résolut de le chasser de la maison paternelle, et de l'envoyer ailleurs exercer ses précoces talents.

Benshô avait une sœur qui répondait au doux nom de Sammi. Elle était d'une piété angélique, d'une douceur proverbiale, et point bavarde du tout, qualités qui, soit dit en passant, se rencontrent rarement chez une sœur de bonze. Cette brave fille, qui n'avait pas d'enfants, éprouva pour son neveu autant de sympathie et d'affection, que son frère lui portait d'antipathie et de haine. Elle demanda la faveur de prendre l'enfant chez elle, et de l'adopter pour son fils, faveur que le bonze lui accorda avec le plus grand empressement.

Benké devint donc le fils adoptif de sa tante, la vertueuse Sammi. Celle-ci l'emmena à la capitale, et se décida à lui faire commencer ses études.

Il n'existait pas encore à cette époque d'écoles proprement dites. Le système de l'enseignement n'était pas, tant s'en faut, organisé comme de nos jours. Les rares jeunes gens qui voulaient étudier se réunissaient dans les monastères bouddhistes. Le bonze en chef du monastère était le principal de ces sortes de collèges. On le regardait par le fait comme un personnage tellement remarquable, que son nom devenait historique et passait à la postérité. Il jouissait sur ses élèves d'une autorité absolue et incontestée, et son enseignement était réputé infaillible. Les études d'alors consistaient uniquement à apprendre et à retenir le plus possible des quatre-vingt mille caractères chinois: étude abrutissante qui énervait l'intelligence, supprimait toute faculté de jugement et d'initiative, faussait la marche et la direction de l'esprit.

La vertueuse Sammi, sœur du bonze Benshô, envoya donc Benké, son neveu et fils adoptif, dans une de ces maisons, que l'on nommait alors des Térakoya. Elle choisit pour lui le célèbre monastère de Hieizan, situé sur la montagne du même nom, à quelques lieues de la capitale. Ce monastère avait alors pour chef l'un des bonzes les plus renommés de l'époque. On l'appelait Kanké.

Le nouvel élève avait alors six ans. Comme il avait grandi très vite, il possédait déjà, quand il entra au monastère, la taille d'un homme de trente ans. Sa longue chevelure flottante, ses yeux à l'expression sauvage et brutale, son visage d'une laideur repoussante, les poils de ses mains: tout dans sa personne inspirait la crainte et éloignait l'affection. Ses condisciples, en le voyant, lui donnèrent aussitôt le surnom d'Oniwaka, terme qui signifie jeune démon.

Pendant les premiers mois que Benké passa au monastère, il se montra docile à la direction et aux avis de son illustre maître, bon et affectueux à l'égard de ses nouveaux camarades. Il travailla avec ardeur, fit des progrès rapides, et se tint tranquille et sage comme le plus doux des agneaux. Le bonze, son maître, s'extasia devant ce prodige, ne lui ménagea point les compliments ni les éloges, et le considéra comme une gloire du monastère.

Malheureusement, ces excellentes dispositions ne tardèrent pas longtemps à se modifier chez le jeune disciple. Il commença bientôt à préférer les amusements à l'étude. Il se mit à taquiner ses camarades, à commettre toutes sortes d'espiègleries. Son amour de la lutte corps à corps devint extraordinaire. Chaque jour, il provoquait des jeunes gens de l'école, et prenait un grand plaisir à leur faire mordre la poussière. Une de ses récréations favorites était de s'en aller seul dans la montagne, pour y déraciner des arbres et y faire des dégâts.

Le bonze, contrarié de la mauvaise tournure que prenaient les choses, essaya tout d'abord de ramener le turbulent disciple par des remontrances amicales et de paternels conseils. Benké écoutait en silence, promettait de se corriger et n'en faisait rien.

Un soir, il s'était échappé dans la montagne, selon son habitude. Dans l'intérieur du monastère, tout le monde dormait. L'hercule arrache au sol un énorme bloc de pierre, que tout autre que lui eût été impuissant à faire remuer. Il le place sur une pente et le pousse dans la direction du temple. La pierre tombe sur la toiture avec un fracas épouvantable et cause au monastère des dommages considérables.

Son amour de la lutte corps à corps devint extraordinaire.

Le bonze, furieux, enferme alors le dangereux espiègle dans un sombre et étroit cachot. Il lui déclare avec colère qu'il n'en sortira plus. Benké attend la nuit. Quand il voit que tout est tranquille, et que bonzes et élèves sont plongés dans le sommeil, il fait sauter une à une les barres de fer qui ferment la fenêtre de sa prison. Il s'échappe dans la cour, ramasse une poutre énorme avec la même facilité qu'un écolier ramasserait une règle et, la brandissant dans l'espace comme un puissant levier, il abat toutes les portes, renverse les murailles, brise tout ce qu'il rencontre. On eût dit un éléphant en furie qui, de sa trompe, jette à terre et détruit tout ce qui s'oppose à son passage. Bonzes et élèves, réveillés en sursaut, se sauvent à la hâte, en poussant des cris d'effroi, dans la nuit sombre.

Le monastère fut détruit de fond en comble. Alors Benké, calmé dans sa colère et satisfait dans sa vengeance, pensa qu'il n'avait plus rien à faire à Hieizan et quitta la montagne. Il avait alors dix ans accomplis. Il ne voulut pas retourner chez sa mère adoptive. Il résolut de dire un éternel adieu au travail et à l'étude, aux bonzes et aux monastères. Il lui vint l'idée de parcourir le monde, à la recherche des aventures, sans loger ni s'arrêter nulle part, de mener désormais une vie indépendante et vagabonde et de s'abandonner au destin, au hasard et au caprice. C'est ce qu'il fit.

Benké descend donc la montagne. Il voit une barque amarrée au bord de la rivière. Il la détache, y monte et se laisse aller à la dérive. Le courant l'emporte au pays de Awa. Là, il débarque, traverse la contrée, dormant la nuit à la belle étoile, se nourrissant des fruits, des poules, des animaux qu'il peut dérober au passage, ne parlant à personne et marchant au hasard.

Il arrive ainsi au pays de Harima. Là se trouve la montagne du Shoshazan. Sur le sommet de cette montagne s'élève le célèbre monastère du même nom, dirigé par le bonze Shinanobo, l'un des plus savants et des plus renommés de l'époque. Ce bonze avait sous sa direction plusieurs centaines de disciples, venus à lui de tous les coins du pays, attirés par sa haute réputation de science et de vertu.

Benké aperçoit le monastère. A sa vue, il commence à se sentir fatigué de cette existence vagabonde qu'il mène depuis plusieurs mois. Une envie folle le prend de redevenir élève, de se remettre à l'étude. Il gravit donc la montagne, et va demander à Shinanobo de l'admettre parmi ses disciples.

Le bonze, apercevant cet hercule à l'aspect sauvage et féroce, refuse tout d'abord de l'introduire auprès de lui. Mais Benké le menace, s'il ne l'accepte pas, de faire de son monastère ce qu'il a fait du monastère de Hieizan. Le bonze, épouvanté, le reçoit donc au nombre de ses disciples, et lui demande en retour d'être bien docile et bien sage, ce que l'autre promet et jure sans difficulté.

Parmi les étudiants du monastère, il s'en trouvait un, doué d'une force prodigieuse et renommé pour son caractère espiègle et méchant. Il était la terreur de tous ses camarades. La puissance de ses muscles lui octroyait sur eux une supériorité incontestable, dont il abusait en toute occasion. Outre sa méchanceté diabolique, ce jeune homme était possédé d'un orgueil extrême et d'une pédanterie insupportable. Il ne pouvait sentir près de lui un rival, ni que quelqu'un lui fût comparé. Ce disciple se nommait Kayémon; il était âgé de dix-huit ans.

Lorsque Kayémon vit le nouvel élève, son instinct le prévint qu'il se trouvait en face d'un rival redoutable. Il comprit que Benké le surpassait en force et allait, de ce fait, causer un tort irréparable à son ascendant et à son influence. Aussi, dès la première rencontre, il lui voua une haine mortelle. Mais n'osant pas encore attaquer en face ce terrible adversaire, il attendit une occasion favorable. Cette occasion ne tarda pas à s'offrir.

Il y avait une semaine environ que Benké était entré au monastère. Un jour de grande chaleur, après le repas de midi, étendu sur une natte, il s'était endormi. Kayémon l'aperçoit, et juge le moment venu de jouer à son ennemi un tour de sa façon. Il s'approche sans bruit, prend un pinceau, l'imbibe d'encre, et trace sur le front du dormeur les trois caractères chinois, qui signifient: «Je suis un imbécile». Puis il se retire lentement, et va rejoindre ses camarades, auxquels il se hâte d'annoncer la chose.

Benké se réveille quelques instants après. Il est loin de se douter qu'il porte sur son front les caractères infâmes. Il se lève et, insouciant, se dirige vers la cour où s'amusent les élèves. A peine l'a-t-on aperçu que toute la troupe se met à rire et à chuchoter à voix basse. Benké ne comprend pas la cause de cette hilarité générale. Il s'avance vers les rieurs et d'une voix où déjà tremble la colère:

– Qu'avez-vous, leur dit-il, et pourquoi riez-vous de la sorte?

Kayémon sort du groupe et faisant à son adversaire un salut ironique:

– Monsieur Benké, lui répond-il, quelle est donc cette fée bienfaisante et tutélaire qui, durant votre sommeil, est venue, de sa main mignonne, tracer sur votre auguste front votre nom et votre qualité?

Il dit, et le fou rire devient plus bruyant dans la tourbe des disciples intrigués qui prévoient une bataille.

Benké a bondi sous l'insulte. Sa colère et sa surprise font pressentir les plus terribles éclats. Il se contient pourtant encore. Il s'approche d'un baquet rempli d'eau et s'y mire. La surface liquide lui reflète les trois malheureux caractères qui l'ont couvert de honte et l'ont rendu l'objet de la risée universelle.

Alors sa fureur ne connaît plus de bornes. Le rouge de la colère et de l'indignation lui afflue au visage. Il bondit comme une bête fauve, s'empare d'un énorme bambou, et se jette au-devant de la troupe des écoliers qui, pressentant une épouvantable catastrophe, commencent à pâlir.

– Lâches! leur crie Benké d'une voix étouffée par la colère, c'est pendant que je dors que vous venez m'insulter et vous moquer de moi? Que celui d'entre vous qui a écrit sur mon front ces caractères ignobles se dénonce à l'instant! Sinon, je vous écrase tous comme des vers de terre.

Et le bambou menaçant se balançait dans l'air.

Kayémon retombant de tout son poids, vint s'aplatir dans la cour.

Kayémon juge que le moment est venu de se mesurer avec son ennemi. Il s'avance vers lui et, le toisant du regard:

– Benké, lui dit-il, tu veux qu'il se dénonce? Eh bien! je vais te le dire. C'est moi, qui ai écrit…

Il n'eut pas le temps d'achever. L'hercule l'avait saisi par la ceinture. Il l'éleva du sol avec la même aisance qu'il eût soulevé une plume, le fit tournoyer un instant dans l'espace, et le lança dans l'air à une hauteur vertigineuse. Le malheureux Kayémon, retombant de tout son poids au bout de quelques secondes, vint s'aplatir dans la cour devant ses camarades terrifiés. Son corps n'était plus qu'un hideux mélange de sang et de chair, d'os et de membres disloqués. Au-dessus de cette bouillie informe planait le rire atroce du géant.

Tous les élèves épouvantés de cette scène s'enfuient en désordre et se réfugient dans l'intérieur du monastère. Mais Benké n'est pas satisfait encore. Il veut achever sa vengeance. Il se précipite dans le jardin, déracine tous les arbres qu'il rencontre, les transporte et les entasse tout autour de l'immense édifice, en fait un énorme bûcher et y met le feu... Au bout de quelques heures, le célèbre monastère de Shoshazan n'était plus qu'un monceau de cendres.

Benké, calmé par ce nouvel exploit, quitte alors la montagne et se retire à la capitale. Sa mère adoptive, la vertueuse Sammi, avait quitté ce monde, et notre héros se trouve seul. Il sent son âme envahie par une passion de batailles. Se battre, se battre encore, se battre toujours: tel est l'idéal vers lequel convergent tous ses rêves. Son humeur querelleuse lui suggère une idée infernale. Il ira tous les soirs se poster sur le pont de Gojô. Là passent incessamment des hommes d'armes et des porteurs de sabre. Il les provoquera, les jettera par terre, les tuera s'il le faut et leur prendra leurs armes. Il ne s'arrêtera qu'après s'être emparé de mille sabres, qu'il pourra contempler comme trophées de ses victoires... ou bien, il s'arrêtera encore si jamais il lui arrive, ce qui ne lui est pas encore arrivé, d'être terrassé à son tour par un adversaire supérieur: tel fut le plan qui germa dans cette tête diabolique.

Benké se rendit donc chaque soir sur le pont de Gojô. Dès qu'il voyait passer un homme portant un sabre il l'insultait, lui cherchait querelle, le provoquait à la lutte. Celle-ci n'était généralement pas longue. Benké restait toujours victorieux et les sabres, pris un à un, s'entassaient.

Il possédait déjà 999 sabres, qu'il avait ainsi arrachés à tout autant de guerriers. Il ne lui en manquait plus qu'un pour arriver au nombre au bout duquel il devait cesser ses querelles et prendre son repos.

C'était le soir du quinzième jour du huitième mois. Benké s'était, comme à l'ordinaire, rendu sur le pont de Gojô. La lune, pleine et brillante, se reflète poétiquement dans les eaux limpides de la rivière. Benké, appuyé sur le parapet du pont, tenant à la main son sabre favori à l'aide duquel il a terrassé tant d'adversaires, contemple le paysage. Il attend, tranquille et sûr, le millième malheureux dont il pourra saisir l'arme pour compléter son trophée.

Tout à coup retentit dans le lointain un son mélodieux de flûte champêtre.

– Voilà quelque mendiant! pense Benké.

Le son se rapproche. Au bout de quelques instants, une forme humaine apparaît à l'entrée du pont. La taille est petite, la tête enveloppée d'un voile blanc, les pieds sont chaussés de gheta laqués en noir:

– C'est une femme! pense Benké.

Et comme jamais il n'a cherché querelle à une femme, il s'apprête à la laisser passer. Mais voilà que cette prétendue femme s'approche du géant, tout en jouant de la flûte, et d'un coup de pied adroit jette à terre le sabre qu'il tenait à la main.

La lutte ne fut pas longue.

Benké, surpris et furieux, lui dit:

– Si tu n'étais une femme, tu n'aurais plus qu'une minute à vivre!

Un éclat de rire bruyant part de dessous le voile en guise de réponse. Benké alors, tout en se baissant pour ramasser son arme, soulève d'une main le voile qui recouvre la tête et cache la figure. Il s'aperçoit alors qu'il a à faire à un gracieux et élégant jeune homme.

Ce jeune homme porte, passé dans la ceinture, un magnifique sabre à poignée d'or. Benké le contemple avec un regard de convoitise:

– Ce sabre, se dit-il, fera très bien pour terminer ma collection.

Et il essaie de s'en emparer. Mais le jeune homme, d'un mouvement rapide, le frappe violemment au front d'un coup de son éventail.

Benké, pâle de colère, lève son sabre pour trancher la tête à ce trop audacieux adversaire; mais celui-ci, lui retenant le bras d'une main, et de l'autre arrachant l'arme, la jette dans le fleuve. La lutte ne fut pas longue. Benké fut terrassé, vaincu, pour la première fois de sa vie. Et son premier vainqueur fut un jeune homme, petit de taille, à l'aspect délicat et frêle. Le géant se prosterna:

– Qui es-tu donc, demanda-t-il, toi qui as terrassé l'invincible Benké?

– Je suis, répondit le jeune homme, le fils et serviteur du ministre Yoshitomo.

– Ton nom?

– On m'appelle Ushiwakamaru, ou si tu le préfères, Yoshitsune.

– Yoshitsune? C'est vous, dont la renommée est si grande? Ah! je suis heureux d'avoir été vaincu par le fils de Yoshitomo!

Benké, comme il se l'était promis, cessa dès ce jour ses querelles et ses luttes. Il demanda et obtint de devenir l'écuyer de son vainqueur, et Yoshitsune n'eut pas de serviteur plus fidèle.

Le vase de Kompéito

Le maire du village de Karazaki célébrait les noces de sa fille. Fonctionnaires, propriétaires et rentiers de l'endroit étaient invités au festin. Assis en rond sur les nattes, ils se passaient l'un à l'autre, sans interruption, la traditionnelle tasse de saké. La conversation allait bon train. Traits d'esprit et jeux de mots sortaient tout pétillants de ces bonnes têtes de paysans excitées par la précieuse liqueur.

Il y avait, parmi les convives, un brave et honnête vieillard, qui s'appelait Goroyémon. Il était d'une tempérance telle, que la seule odeur du saké lui donnait mal au cœur. Il ne buvait donc pas. Or, on s'ennuie beaucoup, quand on ne boit pas à un repas de noces. Le vieillard s'ennuyait donc. Le maître de la maison s'en aperçut. Il appela aussitôt une de ses servantes, et lui ordonna d'apporter le vase de Kompéito.

Je dois expliquer deux choses au lecteur, sans l'explication desquelles, il aurait une certaine peine à comprendre ce récit. La première, c'est qu'on appelle au Japon du nom gracieux de Kompéito de petits bonbons en sucre, blancs ou roses, comme nos dragées de France; la seconde, c'est que le vase de Kompéito, que le maître de la maison se fit apporter par sa servante, était une petite jarre, dont le col assez étroit, pouvait donner passage à une main d'homme. Cela dit, je continue.

La servante apporta le vase de Kompéito.

La servante apporte donc le vase de Kompéito. Le maître de la maison le présente poliment au vieillard:

– Puisque vous ne buvez pas, lui dit-il, mangez donc sans façon quelques Kompéito. Cela vous distraira.

Le vieillard repousse cette offre, car, pour être poli et faire bien les choses, il faut d'abord refuser le superflu que présente un maître de maison, même quand on éprouve une terrible envie de l'accepter. Enfin, cédant aux instances de ses voisins, il prend la jarre, la pose sur ses genoux, y plonge la main et saisit quelques Kompéito. Or, voilà que la main, qui est entrée si facilement, ne peut plus ressortir. Elle demeure là, prisonnière dans la jarre, et tous les efforts du bras au bout duquel elle est fixée, sont impuissants à l'en retirer.

– Holà! qu'avez-vous donc? demande un des voisins, frappé de l'étrange expression qu'a prise tout à coup le visage de Goroyémon.

– Oh! ce n'est rien, répond ce dernier, cherchant à conserver son calme, mais ennuyé de voir que sa mésaventure a des témoins. J'ai seulement un peu de difficulté à retirer ma main de ce vase!

– C'est curieux! reprend l'autre. Attendez donc, je vais vous aider.

Là-dessus, le voisin complaisant prend la jarre des deux mains, en appuie fortement le fond contre sa poitrine, et la serrant solidement:

– Une, deux, trois, tirez! dit-il.

Le pauvre Goroyémon tire bien tant qu'il peut: vains efforts! La main récalcitrante refuse toujours de sortir.

Les convives, tout d'abord intrigués et amusés de l'étrangeté et du comique de la scène, ne peuvent retenir un immense éclat de rire.

Le vieillard, lui, ne riait point. La honte et la douleur se lisaient sur son visage.

– Ma main gonfle, dit-il tout à coup d'une voix tremblante.

Le voisin complaisant prend la jarre des deux mains.

Les convives commencent à s'inquiéter. L'un parle d'envoyer à l'instant chercher un médecin. Un autre propose un rebouteur. Le maître d'école du village, qui, depuis un moment, contemplait sans rien dire le tableau, se lève tout à coup, et d'un geste solennel imposant silence à l'assemblée, lui adresse, d'une voix magistrale, le petit discours suivant:

– Pourquoi vous troubler ainsi, Messieurs? La chose n'en vaut vraiment pas la peine. Vous n'êtes pas sans avoir plus ou moins entendu raconter l'histoire du fameux Shiba Onkô! En deux mots, la voici: Shiba Onkô, encore enfant, s'amusait un jour sur le bord de la mer, avec plusieurs de ses jeunes camarades. Il y avait, sur le rivage, une urne en terre de dimensions énormes. Que faisait là cette urne? L'histoire ne le dit pas. Toujours est-il, Messieurs, que le plus jeune des enfants, s'étant imprudemment assis sur le rebord du vase, se laissa choir dedans. Il y tomba, en poussant un cri de terreur. Ses camarades effrayés s'enfuirent de toute la vitesse de leurs jambes. Shiba Onkô ne bougea pas. Maître de lui-même, et gardant tout son calme, il reste près de la victime. Il réfléchit longtemps au moyen de sauver son petit camarade. Bientôt un trait de lumière traverse son esprit. S'éloignant de quelques pas, il ramassé une grosse pierre, la lance de toutes ses forces contre l'urne. Celle-ci fut brisée et le prisonnier en sortit sain et sauf.

Cette histoire, Messieurs, présente, à mon avis, de frappantes analogies avec la situation gênante du bon M. Goroyémon. Il ne s'agit pas d'un enfant prisonnier dans une urne, il est vrai! mais qu'importe? La main est aussi nécessaire au corps de l'homme, que l'enfant est nécessaire à la famille. Allons! je prends sur moi le rôle de Shiba Onkô. Mais ce n'est pas avec une pierre du rivage, que je briserai le vase de Kompéito, c'est avec ceci, Messieurs!

Et il montra sa pipe, sa petite pipe à tuyau de bambou et à fourneau de fer.

Le magister, d'un coup sec, fit voler en éclats, le vase de Kompéito.

Tout le monde avait, en silence, écouté l'éloquent pédagogue. Le vieillard, dont la main était toujours prisonnière, et le voisin complaisant, qui tenait la jarre, étaient restés immobiles, dans la même position.

Le digne magister a fini de parler. Il s'avance solennel, tenant sa pipe de la main droite, comme un ancien samuraï tenait levée son épée, quand il allait couper le cou à quelque manant impoli. Il relève le bord de sa manche, qui pourrait le gêner dans cette opération délicate. Puis, jetant un regard circulaire sur les convives:

– Messieurs, dit-il d'une voix sacramentelle, cette jarre est un ustensile de valeur. Mais elle est moins précieuse que la main de ce vieillard!

Il dit, et d'un coup sec, il fait voler en éclats le vase de Kompéito. Les Kompéito effrayés se répandent sur la natte, semblables à des flocons de neige…

Un grand éclat de rire part au même instant de tous les coins de la salle. La main du vieux Goroyémon apparaît aux yeux de tous, et l'on comprend alors pourquoi tout à l'heure, elle refusait de sortir…

Elle tient encore fortement serrés une dizaine de Kompéito, qui en avaient augmenté le volume, et qu'elle n'avait pas songé à lâcher!

Les Rats au temple

Sur le penchant d'une colline, dressant dans l'air ses formes bizarres et ses sculptures étranges, s'élève le temple de Couannon, la déesse de la pitié. Les pèlerins s'y succèdent en foule.

C'est un défilé de toutes les infortunes, qui passe incessamment devant la statue de la déesse, aux onze têtes et aux mille bras.

Elle a fort à faire, à écouter ces multitudes de plaintes, à exaucer ces innombrables demandes. Aussi, la bonne déesse en prend-elle très à son aise; les misères des mortels ne troublent guère son auguste repos, et ses oreilles de pierre restent parfaitement indifférentes aux appels désespérés de la douleur.

Les bonzes qui desservent le temple sont plus sensibles qu'elle aux pieux concours des foules; ce n'est pas sans plaisir qu'ils entendent résonner sur les dalles le bruit continuel des petits sous de cuivre.

Un pèlerin qui aurait, un certain soir, passé la nuit dans le temple, eût assisté à une scène étrange et mystérieuse. Il eût vu surgir de tous côtés une multitude de petits êtres à quatre pattes, à la queue longue et écailleuse, aux poils noirâtres ou cendrés.

Il les eût vus se masser devant la statue de Couannon, joindre leurs deux pattes de devant dans l'attitude de la prière, et se prosterner en poussant des cris plaintifs à fendre l'âme. C'était une famille de rats.

Le chef de la famille s'avança lentement sur le front de la troupe.

Le plus âgé d'entre eux, le chef de la famille, s'avança lentement sur le front de la troupe; puis, après avoir fait les trois prostrations d'usage, il formula à haute voix la prière suivante:

– O bonne et compatissante déesse, vous que les hommes appellent la déesse de la pitié, ayez pitié de notre infortune et écoutez nos malheurs! Vous n'ignorez pas sans doute que, depuis un temps immémorial, notre famille habite le vaste grenier d'un gros marchand de riz. Nous avons toujours vécu là, heureux et tranquilles, engraissant tous les jours, et nous multipliant à foison. Car, jusqu'ici aucun chat n'est venu troubler notre existence.

Or, il y a quelques jours, poussé par je ne sais quel caprice, notre propriétaire s'est procuré un chat de taille respectable et d'une habileté extraordinaire. Cet éternel ennemi de notre race s'est mis à nous livrer une chasse sans trêve et sans merci. Un soir, c'est une de nos jeunes filles, que nous aimions tendrement, qui disparaît pour ne plus revenir. Le lendemain, c'est une de nos femmes; puis vient le tour d'un père ou d'une mère, d'un oncle ou d'une tante, d'un cousin ou d'une cousine. Chaque nuit est pour l'un ou l'autre d'entre nous fatale et mortelle. Si les choses continuent de la sorte, nous sommes destinés à disparaître l'un après l'autre, et à nous éteindre pour toujours.

Ne sachant plus comment faire, nous recourons à vous, ô bonne et charitable déesse. De notre ennemi mortel, de ce chat sanguinaire, déesse délivrez nous!

Telle fut la prière du chef. A peine eut-il fini, que tous les rats se prosternant, se mirent à pousser des cris déchirants et à verser des larmes abondantes.

Derrière la statue insensible, une grenouille était cachée. Elle avait entendu la longue et plaintive prière. Sans se montrer, elle éleva la voix et répondit:

– Mes chers amis, c'est de tout cœur, croyez-le bien, que je compatis à vos chagrins et à vos malheurs. Le chat dont vous me parlez est, en effet, pour vous un adversaire terrible. Mais, croyez-vous par hasard que le chat soit votre unique ennemi? Ne vous en connaissez-vous point d'autres?

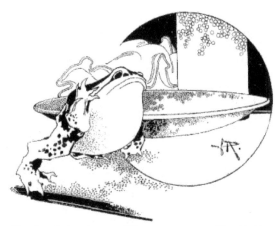

Derrière la statue insensible, une grenouille était cachée.

– Non! répondirent les rats, croyant que cette voix qui leur parlait était la voix de la déesse.

– Eh bien! continua la grenouille, toujours sans se montrer, c'est malheureux pour vous! Non, mes amis, le chat n'est pas votre unique et plus mortel ennemi. Vous en avez un autre, et c'est celui-là la cause unique de tout le mal qui vous arrive!

– Quel est-il donc? bonne déesse, répondit le chef de la famille. Jusqu'ici nous ne nous connaissions vraiment pas d'autre ennemi que le chat!

– Cet ennemi dont je vous parle, plus subtil, plus terrible, n'est pas loin de vous. Vous le portez avec vous-même. Il vous accompagne partout où vous allez, et voilà votre malheur!

Ici les rats se regardèrent. Il y eut dans la troupe des chuchotements à voix basse. Ils ne comprirent pas ce que la déesse voulait dire. Ils attendirent donc qu'elle leur dévoilât le mystère. La grenouille, toujours cachée, continua:

– Eh bien! cet ennemi mortel, ce sont ces dents pointues comme une vrille, que vous portez dans votre bouche. Ces dents vous démangent sans cesse. Elles ne s'arrêtent pas de travailler. La nuit, quand l'homme dort, couché dans ses oreillers, il vous entend ronger ou grignoter les poutres de son toit ou les planches de son plafond. Ce bruit l'agace et l'empêche de dormir.

Le lendemain, quand il se lève, quelle n'est pas sa colère de voir un des objets auquel il attachait du prix, rongé par ces dents qui ne savent rien épargner; tantôt c'est un Kakemono qu'il destinait comme cadeau à un ami; tantôt c'est un des livres dont son fils se servait à l'école, ou une ceinture de soie que sa fille par mégarde avait laissé traîner dans un coin de la chambre. Un jour, c'est la porte du buffet sur laquelle vos dents ont laissé des traces désastreuses, ou la cloison de papier déchirée en plusieurs endroits. Un autre jour, c'est le beau coussin que l'homme ne présente qu'aux visiteurs de marque. Tout cela, sans parler des dégâts que vos dents font à la cuisine.

Les rats déménagèrent.

Voilà pourquoi l'homme se fâche; voilà pourquoi votre propriétaire, ayant résolu votre perte, s'est procuré un chat.

Croyez-moi, mes amis, faites-vous arracher ces dents, qui sont cause de tous vos malheurs. Alors, vous pourrez vivre tranquilles et vous multiplier à loisir.

Quand la grenouille eut fini de parler, les rats se consultèrent. Fallait-il obéir au conseil de la déesse, et se faire arracher les dents? La discussion fut longue. Le pour et le contre furent pesés.

– Que ferons-nous donc sans nos dents? tel fut le cri qui partit de toutes les bouches.

Finalement le vote eut lieu. Il n'y eut pour la suppression des dents que la voix de quelques vieilles grand'mères dont les dents étaient déjà tombées. La majorité se prononça en faveur de leur conservation. Comme compensation à la chose, il fut résolu qu'on déménagerait le soir même, et qu'on irait ailleurs chercher une demeure plus sûre.

Ce soir-là, en effet, les rats déménagèrent, emportant leurs effets et leurs provisions. On ne les revit plus au temple. Et le marchand de riz se félicita chaudement de s'être procuré un chat.

Les Fraises de décembre

Il y avait une fois une veuve, qui s'appelait Faucon. Elle habitait, avec ses deux filles, l'un des quartiers les plus pauvres de la petite ville de Naga. La plus âgée des deux enfants, qui répondait au nom de Chrysanthème, n'était en réalité que sa belle-fille, née de la première femme qu'avait eue son défunt mari.

La veuve ne l'aimait point; elle se montrait pour elle une cruelle marâtre. Toutes ses préférences étaient pour Rose, sa propre fille.

Faucon avait le tort, très grave chez une mère, à cause des conséquences qu'il entraîne, de gâter une de ses enfants et de maltraiter l'autre. Autant elle témoignait à Rose une indulgence excessive, cédait au plus petit et au plus ridicule de ses caprices, passait par dessus tous ses défauts, autant elle était sévère et brutale envers Chrysanthème, lui refusant jusqu'aux choses nécessaires, et la maltraitant pour un rien. A Rose, toutes les caresses, toutes les friandises, toutes les attentions délicates; à Chrysanthème, au contraire, toutes les vexations, toutes les privations, toutes les réprimandes, et très souvent les coups. La première possédait de beaux habits de soie, qu'elle changeait et ornait au gré de ses caprices; la seconde était vêtue pauvrement, ses habits étaient d'étoffe grossière, et elle ne pouvait y ajouter aucun ornement. C'est elle qui faisait tout l'ouvrage de la maison, se levant de bonne heure, travaillant toute la journée, et se couchant très tard, tandis que sa sœur faisait la grasse matinée, s'amusait tout le jour et se couchait dès qu'elle avait sommeil.

Chrysanthème faisait tout l'ouvrage de la maison.

Rose, étant une enfant gâtée, avait un mauvais caractère, elle était orgueilleuse et méchante. Chrysanthème, au contraire, était bonne comme un ange et douce comme un agneau. Elle cherchait à ne point porter envie à sa sœur, acceptait sans se plaindre toutes les réprimandes, injustes pour la plupart, qui ne cessaient de pleuvoir sur elle, ne se fâchant jamais et faisant sans murmurer tout le travail qu'on lui ordonnait de faire.

On était au milieu du mois de décembre.

La neige tombait à flocons. La campagne était toute blanche et il faisait bien froid.

Tandis que Rose se chauffait, assise sur la natte, les deux mains appuyées sur les bords du brasero, Chrysanthème était à la cuisine, nettoyant la vaisselle avec ses petites mains gelées.

Cédant à une brusque fantaisie, Rose appelle sa mère:

– Maman, lui dit-elle, je voudrais bien manger des fraises!

– Des fraises, ma chérie? lui répond amoureusement sa mère, mais tu sais bien qu'il n'y en a plus! La saison en est passée. Veux-tu que je t'achète des oranges?

– Non, maman, je ne veux pas d'oranges. Ce sont des fraises que je veux!

Et elle se met à pleurer. Une mère raisonnable lui aurait dit alors:

– Que signifient tous ces caprices? Tu vas te taire à l'instant, ou sinon je te donne le fouet.

Mais Faucon n'était pas une mère raisonnable, habituée à céder à toutes les fantaisies de son enfant elle lui répond, en caressant ses cheveux:

– Allons! ma mignonne, ne pleure pas, je vais voir s'il y a moyen de te procurer des fraises.

Elle appelle Chrysanthème qui travaillait à la cuisine. Celle-ci accourt aussitôt.

– Écoute, petite paresseuse, dit la marâtre d'un ton rogue, ta sœur Rose désire manger des fraises. Va-t'en dans la campagne. Il en reste peut-être encore… tâche d'en trouver et d'en rapporter quelques-unes.

– Mais, ma mère, se hasarde timidement à dire la fillette, il ne doit plus y en avoir. Et puis, il fait bien froid et la neige…

Elle n'avait pas fini de parler qu'une main s'appliquait avec force sur chacune de ses joues:

– Tiens, voilà pour t'apprendre à ne point murmurer et à obéir, quand on te commande… M'as-tu comprise, méchante enfant? Tu vas aller à la campagne, et de toute façon, il faut que tu t'arranges pour rapporter des fraises. Ta sœur Rose en désire. Allons! dépêche-toi…

Chrysanthème, dans son cœur, pensa que sa mère était bien cruelle de l'obliger à aller, en plein mois de décembre et avec une pareille neige, chercher des fraises dans la campagne. Mais elle ne savait pas se plaindre ni désobéir.

Elle prit donc un panier, et toute triste sortit de la ville. Elle marcha longtemps. La neige tombait toujours, et il faisait bien froid. Ses petits pieds sans chaussures eurent beaucoup à souffrir…

Chrysanthème prit un panier, et toute triste, sortit de la ville.

Elle avait beau marcher, il n'y avait pas de fraises. Aussi loin que sa vue s'étendait, elle n'apercevait dans la campagne que le blanc manteau de neige qui couvrait le sol, et les arbres qui en sortaient pleurant des larmes blanches. Chrysanthème fatiguée songea à retourner à la maison. Mais elle entrevit alors la réception qui l'attendait si elle rentrait les mains vides. Elle savait qu'elle serait battue. Alors, toute triste et toute rêveuse, elle s'assit sur le bord d'une pierre, après avoir, de sa manche, secoué la neige qui la recouvrait; et ne sachant plus que faire, elle se mit à pleurer.

Chrysanthème pleurait, la tête dans les mains… Soudain elle se sent frapper légèrement sur l'épaule. Elle lève la tête et aperçoit une femme très vieille, très vieille, dont le corps courbé en deux s'appuyait sur un bâton.

– Pourquoi pleures-tu, mon enfant? lui dit celle-ci avec une grande bonté dans la voix. Chrysanthème lui raconte le motif de son chagrin et de ses larmes.

– Eh bien, ne pleure plus, reprend la vieille femme, viens, je vais te mener à un endroit où tu trouveras en grande quantité de bonnes fraises bien mûres. Chrysanthème, toute joyeuse, se lève, essuie ses larmes et se laissant prendre la main, s'en va où la conduit la bonne et compatissante vieille. Elles arrivent ainsi à la lisière du bois. Alors elles s'arrêtent. La vieille femme frappe deux fois ses mains l'une contre l'autre. A cet appel, un homme qui paraît avoir trente ans environ sort du bois et s'approche. La vieille se tournant vers Chrysanthème.

71/88

– Ma fille, lui dit-elle, il faut que tout d'abord je te dise qui nous sommes. Je m'appelle Fuyunomikoto, je suis la déesse de l'hiver. Ce jeune homme est mon fils. Il est le dieu de l'été et s'appelle Natsunomikoto. Puis, s'adressant à ce dernier:

– Mon fils, voici une brave enfant qui cherche des fraises, fais qu'elle en trouve et en emplisse son panier.

Le dieu de l'été s'incline alors profondément devant sa mère en signe de la plus humble soumission. Puis, joignant les mains et levant les yeux au ciel, il prononce quelques paroles mystérieuses.

Au même instant, ô prodige! la nature se transforme. La neige disparaît; la campagne se couvre d'herbes verdoyantes, les arbres se chargent de fruits, une douce chaleur succède au froid de tout à l'heure: la terre a pris l'apparence qu'elle a au mois de juin. On voit en quantité de belles fraises bien mûres répandues parmi les fleurs.

Chrysanthème cueille les fraises et ne met pas longtemps à remplir son panier, tellement elles sont abondantes. Quand le panier est bien plein, la fillette veut remercier ses illustres bienfaiteurs. Mais elle ne les voit plus. Et voilà que les herbes, les fleurs et les fruits ont disparu à leur tour; la neige couvre de nouveau le sol et les branches des arbres; la nature a repris son apparence de tout à l'heure.

Chrysanthème se demande d'abord si elle n'a pas fait un rêve. Puis, voyant son panier rempli jusqu'au bord de belles fraises rouges, elle comprend que le ciel est venu à son aide, a eu pitié de son chagrin et de ses larmes. Et, débordante de joie, elle rentre à la maison…

Faucon et Rose furent vivement surprises de voir les belles fraises que Chrysanthème apporta. Mais, il n'y eut pour la pauvre fillette ni remerciement, ni récompense. Elle reçut l'ordre de retourner à la cuisine continuer son travail interrompu. Pendant ce temps, la mère et la fille mangèrent toutes les fraises que Rose trouva excellentes.

Quand elles eurent tout mangé, Rose dit à sa mère:

– Maman, il doit y en avoir encore à la lisière du bois. Je veux y aller, pour en cueillir moi-même.

– Il fait bien froid, ma chérie! Tu pourrais t'enrhumer. Il vaut mieux ne pas sortir aujourd'hui. Après dîner, j'enverrai ta sœur en ramasser encore.

– Non, maman, je veux y aller moi-même, répéta l'entêtée jeune fille.

La mère devait céder, elle céda…

Faucon et Rose mettent leurs plus chauds habits, prennent chacune un panier et sortent, sans même prévenir Chrysanthème de leur départ. Elles se dirigent vers la lisière du bois. Elles marchent longtemps. Mais il n'y avait plus de fraises. Elles voulurent rentrer et ne retrouvèrent plus leur chemin. Chrysanthème attendit jusqu'au soir leur retour. Puis, comme elles ne revenaient pas:

– Elles seront peut-être allées à la lisière du bois! se dit-elle.

Et, toute tremblante, elle sortit et alla à leur rencontre. Quelle ne fut pas sa surprise et sa douleur de les trouver toutes les deux étendues côte à côte dans la neige!… Faucon et Rose avaient perdu leur chemin et étaient mortes de froid.

Faucon et Rose étaient mortes de froid.

Les enfants sages sont toujours récompensés, les mères méchantes et les enfants gâtés sont toujours punis.

Le Moineau sans langue

Au village de Nagatani, vivaient autrefois, dans deux maisons voisines, un brave homme de vieux et une méchante vieille. Le premier s'appelait Nasakéji, la seconde Arababa. Le vieux aimait beaucoup les oiseaux. Il avait surtout pour les moineaux une préférence marquée. Un jour, il en dénicha un tout petit, le prit chez lui, l'apprivoisa, le nomma Bidori, et le soigna comme son fils. Or, écoutez ce qui arriva.

Un matin, le bon vieux était allé à la montagne, pour ramasser du menu bois. Pendant l'absence de son maître, le petit Bidori commit un méfait, bien excusable à son âge. Il alla becqueter de l'amidon que la vieille voisine avait déposé sur le devant de sa porte, et qu'elle destinait à la lessive. Arababa furieuse s'empara du moineau et, pour le punir, lui coupa la langue. L'oiseau, souffrant horriblement et fort ennuyé d'être devenu muet, ne voulut plus rester au village. Il se sauva, et alla retrouver sa mère, qui le reçut avec joie et se mit à le soigner.

Nasakéji revient de la montagne; il ne retrouve plus son cher Bidori. Étonné, il va prendre des informations chez la méchante voisine, qui lui raconte, avec un mauvais sourire, ce qui s'est passé.

Arababa s'empara du moineau et lui coupa la langue.

Nasakéji est devenu tout triste. La maison lui paraît bien vide à présent. La solitude lui pèse. Un jour, il n'y tient plus. Il part à la recherche du moineau:

– Bidori, où es-tu? Où es-tu, Bidori? crie-t-il le long des routes et des sentiers.

Tout à coup, il entend un cri au-dessus de sa tête. Il lève les yeux et aperçoit un moineau déjà âgé, perché sur une branche d'arbre.

– N'êtes-vous pas Monsieur Nasakéji?

– Parfaitement, c'est moi. Et toi, qui es-tu?

– Moi? je suis la mère de Bidori.

– Pas possible? Et moi qui le cherche partout! Où est-il maintenant, mon petit moineau sans langue?

– Il est à la maison. Si vous voulez le voir, je vais vous y conduire, suivez-moi!

Nasakéji leva les yeux et aperçut un moineau perché sur une branche.

Et l'oiseau prend son vol. Le vieillard, tout heureux à la pensée de retrouver son ami, court plutôt qu'il ne marche à sa suite. Il arrive ainsi à la demeure de l'oiseau.

C'est une grotte profonde, creusée dans le rocher. Un grand nombre de petits moineaux accourent en volant au devant du visiteur, et le saluent avec les signes de la plus grande joie. On le conduit à la pièce principale, où il retrouve Bidori. Celui-ci, plein de joie à la vue de son maître, vole sur ses épaules et, par mille caresses, lui témoigne son affection.

– Eh bien, lui dit le vieillard, veux-tu retourner avec moi! Je suis venu te chercher. Je m'ennuie depuis que tu n'es plus à la maison.

Bidori, n'ayant plus de langue, ne pouvait pas répondre. Sa mère répondit pour lui:

– Non, dit-elle, je ne veux pas que mon enfant retourne au village. La méchante vieille finirait par le tuer. Il restera ici, avec sa mère.

Ensuite, on fit asseoir Nasakéji sur un moelleux coussin; on lui servit le thé, puis on lui donna du poisson à manger et du saké à boire.

Quand il eut fini de manger, il voulut prendre congé de ses hôtes. On essaya de le retenir, mais il prétexta qu'il avait des affaires pressantes. Alors la mère de Bidori tira de son coffre deux boîtes en laque, une grande et une petite. Les présentant au vieillard, elle lui dit:

– Veuillez emporter une de ces deux boîtes, comme marque de ma reconnaissance pour l'affection que vous avez portée à mon fils. Choisissez celle qui vous conviendra le mieux.

Nasakéji, qui n'avait pas d'avarice, choisit la plus petite, disant qu'étant la moins lourde, elle était plus facile à porter. Puis il dit au revoir à Bidori, à sa mère et à tous les petits moineaux. On l'accompagna à la porte, où l'on se fit les saluts d'usage, et ils se séparèrent.

De retour chez lui, le vieillard ouvre la boîte. Quelle n'est pas sa surprise! Elle est pleine de diamants et de pierres précieuses. Tout joyeux de cette fortune qui lui arrive, il va de ce pas à la ville, vend tous ses trésors à un bijoutier, en retire une somme considérable. Avec cette somme, il s'achète un vaste champ, se fait construire une belle maison, et commence à mener une vie très heureuse.

La vieille Arababa, ayant appris comment son voisin était tout d'un coup devenu si riche, éprouva un violent désir de le devenir à son tour, par le même moyen. Elle s'informa donc avec précision de l'endroit où habitait ce moineau, qui faisait à ses visiteurs des cadeaux si splendides. Elle résolut d'aller le voir, pensant bien qu'à elle aussi, il donnerait une boîte.

Lorsqu'elle arriva à la grotte, les moineaux reconnurent tout de suite que c'était la méchante vieille qui avait coupé la langue à Bidori. Ils cachèrent tout d'abord ce qu'ils pensaient au fond du cœur. On la reçut fort poliment et on lui offrit à manger.

Puis, la mère tira de son coffre deux boîtes en laque, une grande et une petite, et pria la vieille d'en emporter une à son choix.

Arababa, qui n'était venue que dans cette intention, ne se sentit pas d'aise à la vue des deux boîtes. Pensant que la plus grande contenait beaucoup plus de trésors que l'autre, elle n'hésita pas une seconde, elle choisit la plus grande et quitta la grotte.

Vite, Arababa retourne chez elle, allègre et contente. En chemin, elle fait de magnifiques projets d'avenir. Elle ira habiter la ville, portera de beaux habits de soie, offrira de grands dîners aux dames du monde, se promènera en voiture… Toute pleine de ces idées, elle arrive chez elle, ferme bien la porte, pour qu'aucun œil indiscret n'aperçoive les trésors qu'elle porte, et vite entr'ouvre la boîte.

Une multitude de démons s'échappèrent de la boîte.

Aussitôt voilà que de la boîte mystérieuse s'échappent en poussant des cris aigus, une multitude de démons. Ils se précipitent sur la vieille, pâle et muette d'épouvante. Ils s'emparent de tout ce qui leur tombe sous la main. L'un saisit un couteau de cuisine et coupe d'un seul coup la langue d'Arababa. Un autre prend des tisons ardents et les lui enfonce dans les yeux. Un troisième s'empare d'une corde et lui en applique de violents coups. Enfin un quatrième saisit une massue et assomme la vieille qui ne tarde pas à expirer au milieu d'indicibles souffrances.

Morale: quand un moineau gracieux vous offrira deux boîtes, prenez toujours la plus petite.

Les deux loupes

Il était une fois un bûcheron, du nom de Kikorisuké. Il portait à la joue droite une énorme loupe. Cette infirmité l'affligeait beaucoup; car, chaque fois qu'on le voyait passer, les voisins riaient... surtout les jeunes.

Le bûcheron avait à la joue droite une énorme loupe.

Un soir, il achevait de couper du bois dans la forêt. Tout à coup, un violent orage éclata, accompagné de fulgurants éclairs et de sourds grondements de tonnerre. Le bûcheron se réfugia dans un tronc d'arbre et attendit. Vers minuit, les nuages se dissipèrent, le ciel s'ouvrit et laissa passer les étoiles. Kikorisuké se disposa à partir.

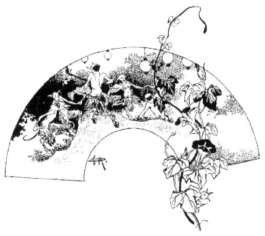

Une ronde folle s'organise.

Subitement un bruit étrange l'arrête. C'est comme un mélange confus de voix et de cris qui n'ont rien d'humain. Cela approche, grossit. Le bûcheron a peur: il se blottit dans sa cachette. Bientôt, il voit déboucher d'un sentier une multitude d'êtres fantastiques. Chacun a une tête d'animal; tous ont un corps d'homme, avec des pieds de chèvre et une queue de singe. Ils se massent justement devant l'arbre dans le tronc duquel le bûcheron est caché. Ils déposent leurs lanternes et leur panier, s'assoient sur l'herbe, et commencent un repas.

Kikorisuké comprend que ce sont les lutins, les lutins des bois… Il tremble de tous ses membres, et retient sa respiration. Quand ils ont fini de manger et de boire, ils se lèvent. Les musiciens prennent leurs instruments; shamisen, koto, flûtes, tambours et tam-tams se mettent à l'unisson. Puis une ronde folle s'organise. La danse est d'abord calme et lente. Mais la musique accélère ses notes et les danseurs s'animent. Bientôt, c'est un vacarme cadencé, des cris perçants, des chants sauvages.

Le bûcheron s'est calmé peu à peu. Cette danse et cette musique l'intéressent: car il aime beaucoup la musique et la danse. Instinctivement il bat la mesure de la tête et des mains. Enfin, n'y tenant plus, emporté par le rythme, il sort de sa cachette, se jette au milieu des lutins, et se met à danser avec eux.

Ceux-ci, tout surpris, s'arrêtent et le regardent. Lui, danse toujours, et il danse très bien, presqu'aussi bien qu'eux. Les lutins émerveillés applaudissent; puis, quand il s'est arrêté, ils le félicitent chaudement, le font asseoir au milieu d'eux et lui servent à manger et à boire. Jamais il n'avait de sa vie fait un aussi bon repas.

Sur ces entrefaites, l'aurore entr'ouvrit doucement ses portes, et du fond de l'Orient se précipita une douce et pâle lumière. Les lutins se disposèrent à partir, car les lutins n'aiment pas la lumière. Le chef de la troupe s'approcha du bûcheron et lui dit:

– Tu danses admirablement bien. Tu nous as grandement amusés. Il faudra revenir. Reviens le mois prochain, au soir du sanglier. Comme gage de ta promesse, j'emporte ceci.

Et, d'un coup de main habile, si habile que le bûcheron ne sentit rien, il lui enleva l'énorme loupe qu'il portait à la joue droite et la mit dans sa poche. Quand ils furent partis, Kikorisuké se demanda d'abord s'il n'avait pas fait un rêve. Il se passa la main sur la joue droite et s'assura que la loupe n'y était plus. Alors, fou de bonheur, il courut à son village, pour vite raconter la chose à sa chère femme.

Au village, ce fut un événement. On parla partout de l'aventure. Les amis du bûcheron vinrent le féliciter.

Or, dans le village voisin, habitait un menuisier qui portait, lui, une grosse loupe à la joue gauche. Ayant entendu raconter l'histoire de Kikorisuké et appris comment ce dernier avait été débarrassé de sa loupe, il résolut d'essayer à son tour du même moyen. Il alla donc trouver le bûcheron, s'informa exactement du soir et de l'endroit où les lutins se réunissaient, et au jour dit, se rendit seul à la forêt. Le menuisier, caché dans le tronc d'arbre, attend avec anxiété l'arrivée des lutins. Ceux-ci arrivent, en effet, se mettent à table, puis commencent à danser. Tout à coup le chef de la troupe s'écrie à haute voix:

– Le bûcheron de l'autre jour n'est-il pas encore arrivé?

Le pauvre menuisier revint tout triste à son village.

– Me voilà! répond le menuisier en se jetant au milieu des lutins. Ceux-ci tout heureux lui font de profonds saluts, et l'invitent à danser. Malheureusement le menuisier n'avait jamais appris la danse. Il essaye, mais il danse très mal. Les lutins murmurent. Puis le chef l'arrêtant, lui dit d'une voix sévère:

– Tu ne danses pas bien aujourd'hui. Je ne veux plus que tu reviennes. Je te rends ton gage.

Et, ce disant, il applique sur la joue droite du malheureux menuisier l'énorme loupe que, le mois dernier, il avait prise au bûcheron.

Et voilà comment le pauvre menuisier revint tout triste à son village, portant deux loupes au lieu d'une, une loupe à chaque joue.

Morale: si vous ne savez pas danser, n'allez jamais dans la forêt, le soir où les lutins se réunissent.

Une ruse de Jiro

Jiro a quatorze ans. C'est un garçon à la mine éveillée, aux yeux d'un noir d'ébène, pétillants de vivacité et d'intelligence. Il n'a jamais connu son père. Celui-ci est parti pour l'autre monde, quelques jours après la naissance de son fils. La mère de Jiro vient de mourir à son tour, emportée par une fluxion de poitrine. Le voilà donc orphelin. Pour fortune, il lui reste une paire de vieux fauteuils hors d'usage, une petite table, quelques livres d'école, une demi-douzaine de tasses à riz, les habits, plusieurs fois rapiécés, dont il est en ce moment couvert. Et c'est tout.

Tout le reste, c'est-à-dire tout ce qui avait une certaine valeur, a été saisi, quelques heures après la mort de la mère, par des créanciers impitoyables. Car la mère avait des dettes, et naturellement ne les avait pas payées.

Comme parents, Jiro possède une tante déjà âgée. Elle en est à son huitième mari, nourrit six enfants et ne désire pas en augmenter la collection. Il a aussi une sœur aînée. Celle-ci a épousé en secondes noces un employé de la Banque, lequel a filé en Chine, emmenant sa femme et une partie de la caisse. Enfin, il reste un oncle, gros marchand de riz, qui n'a pas d'enfants. C'est lui qui adopte l'orphelin. Jiro s'installe donc dans la maison de son oncle, et continue à vivre et à s'amuser.

Jiro était orphelin.

Un jour, il lui vient une vague idée de se faire une petite fortune, de reprendre son indépendance et d'échapper à la trop vigilante tutelle de son oncle. L'idée, d'abord vague, s'éclaircit, s'affermit, se développe. Mille projets se succèdent, mais à peine échafaudés, ils croulent, parce qu'ils n'ont pas de base.

Un capital! Un petit capital! Que faire si l'on n'a même pas un petit capital?

– Ah! si j'avais seulement quelques sous pour commencer! se dit et se répète Jiro à chaque projet qui survient.

Puis, tout naturellement, la question se pose:

– Comment faire?

Un jour, une idée subite traverse son esprit et l'illumine comme un éclair. Dans le même village que lui, habite un brave vieillard du nom de Bacayémon. Ce vieillard est l'honnêteté même, et de plus, c'est un fervent bouddhiste. Il croit à la métempsychose. Là-dessus ses opinions sont on ne peut plus arrêtées. Aussi, ne se hasarde-t-il jamais à manger de la chair d'un animal quelconque, voire même du poisson. Il craindrait d'engloutir par le fait l'âme de quelqu'un de ses ancêtres. Il se laisse volontiers dévorer par les insectes, il se ferait un crime de les écraser, de peur d'écraser en eux quelque vieille connaissance. Les rats ont beau jeu dans sa maison. Les tuer serait commettre un assassinat. Qui sait si dans le corps de ces petits rongeurs, ne loge pas l'âme de quelque ancien grand homme?

Le brave Bacayémon possède une truie qu'il nourrit et engraisse avec le plus profond respect et la plus grande affection, persuadé que sous son épaisse enveloppe se cache l'âme de quelque ancien monarque.

Or Jiro connaît tout cela. Il connaît le cœur honnête et pieux du brave vieillard et ses idées arrêtées sur la métempsychose. Un jour, il vient le trouver. Il a pris une figure de circonstance, grave et mélancolique.

– Bonjour, Monsieur Bacayémon, le temps est beau aujourd'hui.

– Ah! c'est toi, Jiro! En effet, il fait un temps superbe. Et comment vas-tu?

– Merci, je vais bien. A propos, est-ce que vous auriez par hasard une truie chez vous?

– Mais oui, j'en ai une! Et après?

– Ah! mais, c'est donc vrai!

Et voilà que la figure du jeune espiègle s'illumine tout à coup d'un rayonnement de joie intense. Le brave vieillard, tout surpris s'écrie:

– Pourquoi donc cette joie, Jiro? Qu'est-ce que cela peut te faire, que j'aie une truie chez moi?

– Ah! Monsieur, si vous saviez!… Mais y aurait-il de l'indiscrétion à vous demander de me la laisser voir un tout petit instant?

– Rien de plus facile, mon ami. Viens!

Et Bacayémon intrigué conduit Jiro dans la cour où l'énorme truie se vautre dans la fange en grognant. A peine Jiro l'a-t-il aperçue que, se précipitant vers elle, il la saisit, l'étreint, l'embrasse, avec toutes les marques d'un amour passionné. Le vieillard stupéfait contemple cette scène; puis, pressentant un mystère, il rappelle l'enfant:

– Jiro, lui dit-il, quel est le motif de cette étrange conduite? Tu dois avoir des raisons secrètes d'aimer ainsi cet animal. Explique-moi cela, raconte-moi tout!

– Monsieur, répond Jiro, le visage baigné de larmes, cette truie est ma mère!

Jiro saisit la truie et l'embrasse avec toutes les marques d'un amour passionné.

– Ta mère? Comment cela?

– Voici. La nuit dernière, tandis que je dormais profondément, quelqu'un m'a frappé sur le front. Réveillé en sursaut, j'aperçois ma mère, ma pauvre bonne mère qui est morte il y a trois mois. Elle avait une figure bien triste et ses yeux étaient humectés de larmes:

– Mon fils, m'a-t-elle dit, je vais te confier un secret. J'ai péché dans ma vie, et en punition de mes fautes, j'ai été condamnée à vivre trente ans dans le corps d'une bête. Pour le moment j'habite le corps de la truie que possède Bacayémon. S'il te reste pour moi un peu de piété filiale, viens me voir de temps à autre, me consoler et me distraire.

Jiro se rendit chez un boucher.

Elle dit et disparut aussitôt. Voilà pourquoi je suis venu, Monsieur, et mon seul désir est que vous m'autorisiez à venir de temps à autre. Ah! si vous saviez comme je l'aimais, ma pauvre mère!

Et les larmes recommencent à couler, Jiro retourne vers la truie, et de nouveau l'embrasse en lui répétant:

– Ma mère! oh! ma mère!

Le vieux Bacayémon se sent remué jusqu'au fond de l'âme. Après avoir réfléchi quelques secondes:

– Jiro, dit-il à l'enfant, j'admire ta piété filiale. Je suis ému des sentiments qu'elle t'inspire. Eh bien! écoute: puisque cette truie renferme l'âme de ta mère, prends-la, je te la donne. Emmène-la chez toi et soigne-la bien!

Jiro, qui s'attendait à la chose, simule la surprise, tombe aux pieds du vieillard et, la parole entrecoupée de sanglots, le regard rayonnant de joie, il le remercie de son extrême bonté. Puis, se retournant vers l'animal:

– Allons, ma mère, lui dit-il, venez avec moi. Nous allons comme autrefois vivre côte à côte, et je vous soignerai bien.

Puis, entraînant la truie, il sort de la maison, et de ce pas se rend chez le boucher, lui vend la bête, en obtient une petite somme, et riant jusqu'aux larmes:

– Bien joué, se dit-il, et maintenant que j'ai le capital, à moi la fortune, à moi l'avenir!

FIN

Milton Keynes UK
Ingram Content Group UK Ltd.
UKHW030736240823
427351UK00010B/407